PETIT RÉPERTOIRE
ORNITHOLOGIQUE
du Québec
sites et trajets d'hiver

TOME 2

PETIT RÉPERTOIRE
ORNITHOLOGIQUE
du Québec

Sites et trajets d'hiver

TOME 2

Jean-Pierre Pratte

Broquet

97-B, Montée des Bouleaux, Saint-Constant, Qc, Canada, J5A 1A9
Tél. : (450) 638-3338 / Télécopieur : (450) 638-4338
Site Internet : www.broquet.qc.ca
Courriel : info@broquet.qc.ca

Données de catalogage avant publication (Canada)

Pratte, Jean-Pierre
 Petit répertoire ornithologique du Québec

 Comprend des réf. bibliogr. et un index
 Sommaire : t.2. Sites et trajets d'hiver.

 ISBN 2-89000-557-7 (v.1)
 ISBN 2-89000-580-1 (v.2)

 1. Oiseaux - Observation -Sites - Québec (Province)
 Répertoires. 2. Oiseaux - Noms vernaculaires. 3.
 Ornithologie - Ressources Internet. 1. Titre.

 QL685.5.Q8P72 2002   598'.07'234714   C2002-940642-0

Pour l'aide à la réalisation de son programme éditorial, l'éditeur remercie :
Le Gouvernement du Canada par l'entremise du Programme d'Aide au Développement de l'Industrie de l'Édition (PADIÉ) ;
La Société de Développement des Entreprises Culturelles (SODEC) ;
L'Association pour l'Exportation du Livre Canadien (AELC).
Le Gouvernement du Québec - Programme de crédit d'impôt pour
    l'édition de livres - Gestion SODEC.

Infographie : Brigit Levesque
Conception des cartes : Jean-Pierre Pratte

Copyright © Ottawa 2002
Broquet inc.
Dépôt légal — Bibliothèque nationale du Québec
4e trimestre 2002
Imprimé au Canada

ISBN 2-89000-580-1

À mon frère Michel

QUELQUES PRÉCIEUX COLLABORATEURS :

Aumond, Martine, Ville-Marie
Belhumeur, Raymond, Saint-Hubert
Duchesne, Bruno, Sept-Îles
Huot, Guy, Danville
Laberge, Régine, La Malbaie
Lavallée, Jocelyne, Saint-Hubert
Lefebvre, André, Dubuisson
Lepage, René, Mont-Saint-Hilaire
Pitre, Christiane, Matapédia

Et un merci particulier à **Diane Labonté** pour les magnifiques photos, si généreusement prêtées du Harfang des neiges et d'oiseaux aux mangeoires.

AUTRES CRÉDITS :

Daniel et Ginette Leduc pour la photo
de l'Épervier brun : page 32
Raymond Belhumeur pour les choix
de nourriture : page 28

TABLE DES MATIÈRES

PIC CHEVELU

Photo : Diane Labonté

PRÉFACE

J'ai commencé à observer les oiseaux en mai 1973. Mais c'est en décembre de cette même année que j'ai commencé à compiler systématiquement mes données d'observation. Je remplissais alors une fiche d'observation quotidienne que je faisais parvenir ensuite à la « société Zoologique de Québec », le seul club ornithologique existant à l'époque.

Depuis j'ai toujours aimé l'hiver. C'est une saison merveilleuse pour faire ses débuts en ornithologie. Le nombre d'espèces à observer à cette période est relativement restreint tout au plus une centaine. Il est plus facile de repérer les oiseaux car il n'y a pas de feuilles dans les arbres et, grâce aux mangeoires, on peut les voir de plus près.

Il peut être intéressant de faire une compilation des espèces que vous observez en hiver, durant les mois de décembre, janvier et février. Vous aurez un plaisir renouvelé à comparer vos observations d'une année à l'autre. Ainsi, en décembre 1973, j'observais 25 espèces. En 1974, je répertoriais 44 espèces dont 22 nouvelles. En 1975, j'en ai repéré 46 espèces mais le cumulatif des 3 années se chiffrait à 115 !

Une autre façon intéressante d'apprécier l'hiver est de tenir un « livre de bord » dans lequel vous noterez toutes vos observations quotidiennes recueillies à vos postes d'alimentation. Vous aurez ainsi une liste exhaustive d'espèces et vous connaîtrez leur fréquence de visites au jour le jour. L'hiver vous paraîtra moins long puisque vous aurez une activité régulière et divertissante. Quoi de plus agréable en effet que de commencer votre journée en regardant les oiseaux s'activer à leurs mangeoires pendant votre petit déjeuner !

À cette activité personnelle enrichissante, vous pouvez ajouter des variantes ou encore des activités spécialement adaptées à la saison froide. C'est là que le « Petit répertoire Ornithologique du Québec » de Jean-Pierre Pratte peut vous être d'une grande utilité.

Ainsi vous pourrez participer à un recensement des oiseaux en décembre, faire un relevé des canards d'hiver en février, ou même participer à la course aux oiseaux d'hiver de décembre à février. C'est entre autres choses, ce que vous propose cet ouvrage.

L'originalité du travail de Jean-Pierre Pratte est de présenter une liste des oiseaux de mangeoire nichant au Québec, ainsi qu'une série de trajets proposés et complets vous permettant de retrouver le Harfang des neiges, l'emblème aviaire du Québec.

Des heures de plaisir vous attendent à parcourir ces trajets dont certains se trouveront probablement dans votre région. Ainsi à l'hiver 1993-1994, j'ai parcouru avec ma conjointe Diane, un circuit dans la région de Soulanges qui nous a permis d'observer 18 espèces différentes. Nous avons d'ailleurs effectué ce trajet presque quotidiennement. Ce fut un belle expérience. Car nous en avons gardé d'heureux souvenirs en plus d'une centaine de photos de Harfang des neiges.

L'hiver peut donc être très agréable... À vous de découvrir la joie d'observer les oiseaux. Et pour ce faire, le livre de Jean-Pierre Pratte sera pour vous un outil des plus précieux. Peu importe l'endroit où vous demeurez, vous trouverez un réseau de mangeoires à visiter ou des trajets à parcourir...

Grâce à l'observation des oiseaux, l'hiver ne sera jamais plus pareil et vous serez « AUX OISEAUX ».

Guy Huot

INTRODUCTION

Lors de mes premières années d'observation des oiseaux, je consacrais mes loisirs des mois de mai, juin, juillet et août à cette activité. Comme beaucoup de gens, je croyais que cette activité se terminait avec l'arrivée de l'automne jusqu'à ce que lors d'une belle journée de septembre, je rencontre par hasard un ornithologue chevronné. Il faut dire qu'à cette époque le mot « ornithologie » était peu connu et les gens pratiquant ce loisir étaient rares. J'appris par ce nouveau venu, que la saison automnale est la plus intéressante pour l'ornithologue, tant pour ses migrations que pour ses raretés aviaires.

Par la suite il me parla de l'hiver et plus précisément de la « Course aux oiseaux d'hiver », du « recensement des oiseaux de Noël », de l'inventaire des canards hivernant, des mangeoires... Il me parla aussi de l'hiver avec ses Harfangs des neiges, ses Petites Nyctales, ses Bruants des neiges, Bec-croisés, etc... Toutes ces espèces hivernales étaient alors inconnues pour moi.

Avant de me quitter, il me posa une question : « À -15 °C quel est le meilleur endroit pour qu'un canard puisse se réchauffer ? » Dans l'eau... qui gèle seulement sous 0 °C. Il faut donc surveiller les cours d'eau où elle ne gèle pas. Souvent des surprises nous y attendent : un Garrot d'Islande, ou encore un Harfang des neiges sur une banquise !

En résumé, c'est une saison formidable. Depuis cette époque, j'attends avec fébrilité le retour du Harfang des neiges hiver après hiver. C'est aussi la saison où la mésange vient, à l'occasion, quérir sa pitance dans la main. Il est aussi possible qu'un pic ou encore une sittelle désirent se familiariser ainsi avec nous.

CODE D'ÉTHIQUE

1-	La protection des oiseaux doit passer avant toute chose.
2-	Les habitats des oiseaux doivent être sauvegardés à tout prix.
3-	Évitez de déranger les oiseaux et leurs habitats.
4-	Si vous découvrez une espèce rare, choisissez avec précaution ceux à qui vous en parlerez.
5-	Ne dérangez jamais un oiseau migrateur d'une espèce considérée comme rare ou menacée.
6-	Respectez les droits des propriétaires et demandez la permission avant de vous aventurer sur un terrain privé.
7-	Respectez les droits des autres participants lorsque vous êtes sur le terrain.
8-	Comportez-vous en tout temps comme vous le feriez chez vous.
9-	Observez les nids à distance. Interdisez-vous d'approcher les colonies d'oiseaux nicheurs.
10-	Évitez de laisser des traces de votre passage.
11-	Déplacez-vous toujours de la façon la plus discrète possible.
12-	Offrez vos données d'observations aux autorités compétentes.

Source : *The Royal Society for the Protection of Birds :RSPB, United-Kingdom.* (Traduction libre : Guy Huot)

RECENSEMENT
DES OISEAUX DE NOËL

À pied, en voiture, à cheval, en canot... à dos de chameau... (ça j'en suis moins certain par contre)... « Ils sont fous ces ornithologues », dirait OBÉLIX. Tous les moyens de transport sont bons pour cette activité. Événement majeur et non le moindre une fois par année, un recensement d'oiseaux est effectué entre le 15 décembre et le 10 janvier (cette date varie légèrement d'une année à l'autre). Pour nous, c'est l'hiver avec sa froidure et sa neige, si ce n'est le verglas ; mais pour certains observateurs, la saison et la température représentent autre chose. Jusqu'au début du vingtième siècle, une coutume existait aux États-Unis : celle de tuer le plus d'oiseaux possible la journée de Noël. Toutefois un homme et 28 de ses amis : Franc Michler Chapman ne participèrent pas à cette tradition. Ce dernier eu l'idée pour fêter Noël, d'inventorier les oiseaux de sa région. C'est ainsi qu'en 1900 pris naissance le premier décompte ou « Recensement » des oiseaux de Noël (Chrismas Bird Count). C'est actuellement la plus grande activité collective d'ornithologie et la plus informelle au monde. À cette occasion une multitude de renseignements sont consignés, classés et publiés. Que ce soit pour connaître l'importance de la migration d'une espèce en particulier ou les modifications de ces déplacements. La baisse de population d'une espèce y est vite détectée. Le plus bel exemple est le cas de la buse de Swainson dont la population a considérablement baissé à la suite d'un déboisement à outrance au Mexique. Par contre, l'observation des oiseaux et le « recensement » ne semblent pas être les activités préférées de certaines industries, papetières plus particulièrement, ainsi que d'autres pollueurs notoires qui sont responsables de la diminution de certaines espèces sur les cours d'eau.

Certains côtés positifs existent aussi dont l'amélioration d'un nouvel endroit suite à l'installation de postes d'alimentation ou encore le résultat d'une mesure prise pour protéger un endroit précaire.

Pour une fois l'Alaska, le Québec, la Floride, le Mexique, le Brésil et même les Bermudes participent à une activité commune : le « Recensement des oiseaux d'hiver ». Le tout est sous la gouverne de la Société Audubon. D'ailleurs, de nouveaux participants s'ajoutent tous les ans et répertorient annuellement entre 1700 et 1800 espèces d'oiseaux. Le tout est publié par la suite dans un volume de plus de 600 pages disponible pour les participants.

Comme cette activité est en essor constant, il est donc important qu'elle soit bien structurée et chapeautée. Qui, mieux que la Société Audubon peut le faire ? Plusieurs dizaines de milliers de personnes de divers pays y participent et le nombre de bénévoles augmente d'année en année. Afin de respecter les mêmes contrôles et une certaine politique les mêmes règles sont exigées de tous. Le plus bel exemple en est depuis 1973, le Pigeon biset dont la population est inventoriée alors qu'auparavant, il était considéré comme un oiseau domestique, tout comme la volaille de basse-cour.

Ces règles sont donc établies à l'avance. Il faut tout d'abord faire une demande de territoire auprès de la Société Audubon, demande très simple d'ailleurs que peut adresser un organisme ou un individu. On lui attribuera par la suite un cercle de 25 kilomètres de diamètre couvrant la région choisie par le demandeur. Il est entendu que le territoire choisi doit être « libre » lors de la demande pour être alloué car il peut déjà y avoir une personne ou un organisme en charge du recensement. Ensuite le responsable divise le territoire en secteurs et confie à diverses équipes le soin d'inventorier le lieu. L'inventaire s'effectue du lever au coucher du soleil, et le tout se termine généralement par un souper de groupe. C'est l'occasion idéale pour rencontrer des confrères et consoeurs ornithologues. De belles découvertes sont souvent révélées lors de ces rencontres comme la présence d'espèces recherchées ou encore celle d'un visiteur rare. Et comme beaucoup de ces participants s'intéressent aussi à la course aux oiseaux d'hiver, une telle rencontre représente pour eux un événement majeur.

Il est important que ce genre d'activité se déroule sous la férule d'un organisme comme la Société Audubon, sinon le résultat aurait moins de valeur scientifique. Malheureusement, plusieurs groupes font ce recensement et négligent de s'enregistrer auprès de l'organisme en charge. Cela devient alors une simple réunion sociale de moindre importance. Il est à noter que certains clubs d'ornithologie se joignent à un autre club, souvent par manque d'effectifs ou parce que leur association préfère la collaboration inter-club. Cela est tout à fait louable car un nombre minimum de bénévoles est requis et assure le succès de cette activité hivernale. La logistique, peut être assez ardue. Le mérite en revient au responsable du territoire.

La première chose à faire consiste à diviser le territoire accordé en sections, pour ensuite trouver des responsables de sections qui eux formeront une équipe ou un tandem. Une carte géographique détaillée préparée par le responsable leur est remise. Ce responsable organisera aussi le souper et le déroulement de la soirée. Comme tout le monde désire obtenir les résultats avant la fin de l'activité, il est possible que la compilation lui serve de souper ! En moyenne, plus d'une cinquantaine de participants forment des équipes de deux à cinq personnes. Ceux dont la section est située dans un parc ou un milieu urbain devront inventorier leur section à pied. D'autres dont la section est surtout rurale auront à rouler en voiture une grosse partie de la journée. Je connais même une équipe qui a passé une grande partie de la journée dans un dépotoir ! Comme le responsable du groupe était reconnu pour être assez rigoureux, les heures auront été certainement longues et nauséabondes. Que de plaisirs !

Les pires conditions pour faire de l'ornithologie le sont sûrement par une journée de pluie ou encore par une température glaciale de moins 30 °C, avec des vents assez violents. Ah! passion quand tu nous tiens... Durant ces deux semaines, certains mordus participent même à 3 ou 4 de ces « Recensements de Noël ». Certains responsables de ces activités se consultent d'ailleurs pour le choix de la journée afin d'attirer davantage de volontaires. Dans la région de Montréal, il existe même un club qui supervise et inventorie deux territoires pendant deux journées. C'est dire tout l'engouement que crée cette activité hivernale. Et dire que certains pensent que l'hiver est une saison morte... Attendez un peu de mieux connaître « La course aux oiseaux d'hiver », qui n'est pas de tout repos non plus.

Adresse internet de la Société Audubon :
http://www.audubon.org/

HARFANG DES NEIGES

Photo : Diane Labonté

COURSE AUX OISEAUX D'HIVER

La Course aux oiseaux d'hiver se déroule du 1er décembre au 28 février. Ce concours est une idée originale des membres de la Société québécoise de protection des oiseaux (Province of Quebec Society for the Protection of Birds).

Ontario aux routes 155, 20, 233 et 235. Cette course se déroule aussi dans d'autres régions où les délimitations de territoires sont différentes. L'objectif est de faire l'inventaire de notre faune aviaire afin de mieux connaître nos espèces hivernales.

Régulièrement, des espèces intéressantes sont signalées. Des oiseaux rares ou exceptionnels sont souvent observés dans la région, dont le Faucon gerfaut qui est blanc ou encore le Bruant à face noire dont la présence est vraiment inusitée. Cette « course aux oiseaux d'hiver » apporte aussi de l'information scientifique intéressante. D'ailleurs, l'hiver est la saison idéale pour l'observation des strigidés dont le Harfang des neiges, la Chouette lapone, la Chouette épervière ou encore la Nyctale de Tengmalm. On retrouve aussi d'autres visiteurs hivernaux tels les Bruants des neiges, les Bruants lapons, les Durbecs des sapins, les Bec-croisés bifasciés ou des sapins. En tout, plus d'une vingtaine d'espèces d'oiseaux que l'on ne peut observer que durant l'hiver. C'est d'ailleurs la meilleure saison pour observer les rapaces qui, perchés sur des arbres ayant perdu leur feuillage, se retrouvent ainsi à découvert et deviennent plus faciles à observer. Même si les rapaces sont moins nombreux l'hiver, le manque d'abris les rendent plus facilement identifiables.

Le premier décembre débute la recherche et l'observation des espèces retardataires dans leurs migrations et de celles qui hivernent près d'un poste d'alimentation ou d'un cours d'eau. On retrouve les espèces qui s'éloignent de leurs habituels couloirs migratoires et se retrouvent ici par hasard. On a d'ailleurs aperçu à l'hiver 2001 au Jardin botanique de Montréal, une Paruline du Kentucky. Le concours se termine 28 février par les migrations hâtives dont celle du Pluvier kildir. Cette compétition, avant-tout, amicale est très captivante puisque chaque observateur doit divulguer toutes les observations qu'il aura répertoriées. Une personne qui ne partage pas ses informations est très mal perçue par la confrérie... L'esprit sportif est aussi de rigueur et plus que souhaitable.

Lors de cette activité selon les responsables et coordonnateurs 125 espèces d'oiseaux ont observées dans la région Montréalaise. Le record de ce concours fut remporté, en 1996 alors que 136 espèces furent observées.

Pour bien se préparer et s'assurer un meilleur succès il est préférable de consulter les lignes info-oiseaux de la région où se déroule la Course aux oiseaux d'hiver.

BRUANTS DES NEIGES

Photo : Diane Labonté

QUI PRÉTEND QUE...

Debout ceux qui prétendent qu'il n'y a pas d'oiseaux l'hiver... copiez-moi 100 fois la liste qui suit!

Pour les autres, amateurs et observateurs d'oiseaux, je les invinte à venir venez découvrir ceux qui nous aident à apprécier l'hiver. Bien sûr ce ne sont pas tous des oiseaux catalogués hivernants habituels (HH); certains ne sont que des migrateurs retardataires (MR) qui n'ont tout simplement pas suivi leurs congénères dans leur migration hivernale; il arrive même que certains de ces individus décident occasionnellement de passer l'hiver avec nous (HO).

Certaine observations sont inusitées; ainsi une Grive solitaire signalée en décembre n'est qu'un cas de migration retardataire (MR), mais si le même oiseaux est encore présent en janvier et février cela devient plutôt une observation d'une présence exceptionnelle (PE) ou encore d'une présence rare (PR) et cela sans que l'oiseau soit pour autant une espèce rare. Une espèce d'oiseau très rare (OTR) serait aussi rare en dehors de la saison hivenale; par exemple, cette première Grive litorne trouvée par Guy Huot en janvier 1976 à Rigaud et qui fût observée de nouveau seulement au printemps 1999. Il arrive aussi quelquefois que certains oiseaux de compagnie (EC) ou d'élevage soient retrouvés lors d'une journée d'observation.

Plus de 100 espèces d'oiseaux passent l'hiver avec nous d'une façon régulière et certaines autres espèces sont présentes d'une façon intermittente car certains hivers, on ne les voit pas du tout.

Après consultation sur internet et en assemblant les données des 10 dernières années, plus de 200 espèces d'oiseaux ont été signalées durant la saison hivernale.

ABRÉVIATIONS UTILISÉES DANS LES TABLEAUX DES PAGES SUIVANTES	
MR - migrateur retardataire	**PR** - présence rare
HH - hivernant habituel	**OTR** - oiseau très rare
HO - hivernant occasionnel	**EC** - échappé de captivité
PE - présence exceptionnelle	

OISEAUX RÉPERTORIÉS	DÉC.	JAN.	FÉV.	OISEAUX RÉPERTORIÉS	DÉC.	JAN.	FÉV.
Grèbe à bec bigarré	MR	PE	PR	Canard colvert	HH	HH	HH
Grèbe jougris	MR	PE	PR	Canard noir	HH	HH	HH
Grèbe esclavon	MR	PE	PR	Canard pilet	MR	HO	HO
Plongeon huard	MR	PE	PE	Sarcelle à ailes bleues	MR	PE	PR
Plongeon catmarin	PR	PE	PR	Fuligule à dos blanc	MR	PE	PE
Fou de Bassan	PE	PE	PR	Fuligule à tête rouge	HO	HO	HO
Cormoran à aigrettes	MR	PE	PR	Fuligule à collier	HO	HO	HO
Grand Héron	MR	PE	PR	Fuligule milouinan	HO	HO	HO
Bihoreau gris	MR	PE	PR	Petit Fuligule	HO	HO	HO
Urubu noir	OTR	OTR	OTR	Eider à duvet	PE	PE	PE
Urubu à tête rouge	MR	PE	PR	Eider à tête grise	PE	PE	PE
Érismature rousse	MR	PE	PR	Arlequin plongeur	MR	PE	PE
Cygne tuberculé	PE	PE	PR	Harelde kakawi	MR	HO	HO
Cygne siffleur	PE	PE	PE	Macreuse noire	MR	PE	PR
Oie cygnoïde	EC	EC	EC	Macreuse à front blanc	MR	PE	PR
Oie rieuse	PE	PE	PE	Macreuse brune	MR	PE	PR
Oie cendrée	EC	EC	EC	Garrot à oeil d'or	HH	HH	HH
Oie des neiges	MR	PE	PE	Garrot d'Islande	HO	HO	HO
Oie de Ross	MR	PE	PR	Petit Garrot	HO	HO	HO
Bernache du Canada	MR	HO	HO	Harle couronné	HO	HO	HO
Bernache cravant	MR	HO	HO	Harle huppé	HH	HH	HH
Canard branchu	MR	PE	PE	Grand Harle	HH	HH	HH
Canard siffleur	MR	HO	HO	Pygargue à tête blanche	HO	HO	HO
Canard d'Amérique	MR	HO	HO	Busard Saint-Martin	HO	HO	HO
Canard chipeau	MR	HO	HO	Épervier brun	HH	HH	HH
Sarcelle d'hiver	MR	PE	PR	Épervier de Cooper	MR	HO	HO

MR - migrateur retardataire, HH - hivernant habituel, HO - hivernant habituel, PE - présence exceptionnelle, PR - présence rare, OTR - ois. très rare,

OISEAUX RÉPERTORIÉS	DÉC.	JAN.	FÉV.
Autour des palombes	MR	MR	MR
Buse à épaulettes	MR	MR	MR
Petite Buse	MR	PE	PR
Buse à queue rousse	HO	HO	HO
Buse pattue	HH	HH	HH
Aigle royal	HO	HO	HO
Crécerelle d'Amérique	HO	HO	HO
Faucon gerfaut	HO	HO	HO
Faucon pèlerin	HH	HH	HH
Dindon sauvage	HH	HH	HH
Tétras du Canada	PE	PE	PE
Lagopède des saules	PE	PE	PE
Lagopède alpin	PE	PE	PE
Gélinotte huppée	HH	HH	HH
Perdrix grise	HH	HH	HH
Faisan doré	EC	EC	EC
Foulque d'Amérique	MR	PE	PR
Bécassine des marais	MR	PE	PR
Tournepierre à collier	MR	PE	PR
Bécasseau à croupion blanc	MR	PE	PR
Bécasseau violet	MR	PE	PR
Pluvier kildir	MR	PE	PR
Labbe pomarin	PE	PE	PR
Labbe parasite	PE	PE	PR
Goéland cendré	PE	PE	PE
Goéland à bec cerclé	HH	HH	HH

OISEAUX RÉPERTORIÉS	DÉC.	JAN.	FÉV.
Goéland de Californie	OTR	OTR	OTR
Goéland marin	HH	HH	HH
Goéland bourgmestre	HH	HH	HH
Goéland arctique	HH	HH	HH
Goéland de Thayer	OTR	OTR	OTR
Goéland argenté	HH	HH	HH
Goéland brun	PE	PE	PE
Mouette rieuse	MR	PE	PR
Mouette de Bonaparte	MR	PE	PR
Mouette de Franklin	MR	PE	PR
Mouette pygmée	MR	PE	PR
Mouette blanche	MR	PE	PR
Mouette de Sabine	MR	PE	PR
Mouette tridactyle	MR	PE	PR
Mergule nain	PE	PR	PR
Guillemot marmette	PE	PR	PR
Guillemot de Brünnich	PE	PR	PR
Petit Pingouin	PE	PR	PR
Guillemot à miroir	PE	PR	PR
Macareux moine	PE	PR	PR
Pigeon biset	HH	HH	HH
Tourterelle triste	HH	HH	HH
Coulicou à bec jaune	PE	PR	PR
Petit-duc maculé	HH	HH	HH
Grand-duc d'Amérique	HH	HH	HH
Harfang des neiges	HH	HH	HH

MR - migrateur retardataire, HH - hivernant habituel, HO - hivernant occasionnel, PE - présence exceptionnelle, PR - présence rare, OTR - ois. très rare, EC - échappé de captivité

OISEAUX RÉPERTORIÉS	DÉC.	JAN.	FÉV.
Chouette rayée	HH	HH	HH
Chouette lapone	HO	HO	HO
Chouette épervière	HO	HO	HO
Nyctale de Tengmalm	HO	HO	HO
Petite Nyctale	HH	HH	HH
Hibou moyen-duc	HO	HO	HO
Hibou des marais	HO	HO	HO
Martin-pêcheur d'Amérique	MR	PE	PE
Pic à tête rouge	PE	PE	PE
Pic à ventre roux	PE	PE	PE
Pic mineur	HH	HH	HH
Pic chevelu	HH	HH	HH
Pic tridactyle	HO	HO	HO
Pic à dos noir	HH	HH	HH
Pic flamboyant	MR	PE	PR
Grand Pic	HH	HH	HH
Moucherolle tchébec	MR	PR	PR
Moucherolle phébi	MR	PR	PR
Pie-grièche grise	HO	HO	HO
Pie-grièche migratrice	OTR	OTR	OTR
Geai bleu	HH	HH	HH
Mésangeai du Canada	HO	HO	HO
Corneille d'Amérique	HH	HH	HH
Grand Corbeau	HH	HH	HH
Jaseur boréal	HH	HH	HH
Jaseur d'Amérique	HO	HO	HO

OISEAUX RÉPERTORIÉS	DÉC.	JAN.	FÉV.
Grive à collier	OTR	OTR	OTR
Merlebleu de l'Est	MR	PE	PR
Solitaire de Townsend	OTR	OTR	OTR
Grive solitaire	MR	PE	PR
Grive litorne	OTR	OTR	OTR
Merle d'Amérique	HO	HO	HO
Étourneau sansonnet	HH	HH	HH
Moqueur chat	MR	PE	PR
Moqueur polyglotte	MR	HO	HO
Moqueur roux	MR	PE	PR
Sittelle à poitrine rousse	HH	HH	HH
Sittelle à poitrine blanche	HH	HH	HH
Grimpereau brun	HH	HH	HH
Troglodyte des marais	MR	PE	PR
Troglodyte de Caroline	HO	HO	HO
Troglodyte mignon	MR	PE	PE
Troglodyte familier	MR	PE	PE
Mésange à tête noire	HH	HH	HH
Mésange à tête brune	HO	HO	HO
Mésange bicolore	HO	HO	HO
Hirondelle bicolore	MR	PE	PR
Roitelet à couronne rubis	MR	PE	PE
Roitelet à couronne dorée	MR	HO	HO
Alouette hausse-col	HH	HH	HH
Moineau domestique	HH	HH	HH
Tarin des pins	HH	HH	HH

MR - migrateur retardataire, HH - hivernant habituel, HO - hivernant occasionnel, PE - présence exceptionnelle, PR - présence rare, OTR - ois. très rare,

OISEAUX RÉPERTORIÉS	DÉC.	JAN.	FÉV.
Chardonneret jaune	HH	HH	HH
Chardonneret élégant	EC	EC	EC
Sizerin blanchâtre	HH	HH	HH
Sizerin flammé	HH	HH	HH
Roselin à tête grise	OTR	OTR	OTR
Roselin pourpré	HO	HO	HO
Roselin familier	HH	HH	HH
Durbec des sapins	HO	HO	HO
Bec-croisé des sapins	HO	HO	HO
Bec-croisé bifascié	HO	HO	HO
Gros-bec errant	HH	HH	HH
Bruant lapon	HH	HH	HH
Bruant des neiges	HH	HH	HH
Bruant fauve	MR	HO	HO
Bruant chanteur	MR	PE	PR
Bruant des marais	MR	PE	PR
Bruant à face noir	OTR	OTR	OTR
Bruant à couronne blanche	MR	HO	HO
Bruant à gorge blanche	MR	PE	PR
Junco ardoisé	HH	HH	HH
Bruant des prés	MR	PE	PR
Bruant hudsonien	HH	HH	HH
Bruant familier	MR	PE	PR
Tohi à flancs roux	MR	PE	PR
Tohi tacheté	OTR	OTR	OTR

OISEAUX RÉPERTORIÉS	DÉC.	JAN.	FÉV.
Paruline verdâtre	MR	PE	PR
Paruline jaune	MR	PE	PR
Paruline bleue	MR	PE	PR
Paruline à croupion jaune	MR	PE	PR
Paruline grise	MR	PE	PR
Paruline à gorge jaune	MR	PE	PR
Paruline des pins	MR	PE	PR
Paruline des prés	OTR	OTR	OTR
Paruline à couronne rousse	MR	PE	PR
Paruline flamboyante	MR	PE	PR
Paruline couronnée	MR	PE	PR
Paruline du Kentucky	OTR	OTR	OTR
Paruline masquée	MR	PE	PR
Tangara vermillon	OTR	OTR	OTR
Passerin nonpareil	EC	EC	EC
Dickcissel d'Amérique	MR	PE	PR
Cardinal à poitrine rose	MR	PE	PR
Cardinal à tête noire	OTR	OTR	OTR
Cardinal rouge	HH	HH	HH
Oriole masqué	OTR	OTR	OTR
Carouge à tête jaune	OTR	OTR	OTR
Carouge à épaulettes	MR	HO	HO
Quiscale bronzé	MR	HO	HO
Quiscale rouilleux	MR	PE	PR
Vacher à tête brune	MR	HO	HO

MR – migrateur retardataire, **HH** – hivernant habituel, **HO** – hivernant occasionnel, **PE** – présence occasionnelle, **PR** – présence rare, **OTR** – ois. très rare, **EC** – échappé de captivité

MANGEOIRES D'OISEAUX

Depuis plusieurs décennies les gens prennent plaisir à nourrir et observer les oiseaux.

L'hiver, les mangeoires, l'eau, le sable, les abris et chicots les attirent dans notre entourage. Un poste d'alimentation se compare facilement à un petit laboratoire résidentiel. Cependant si les mangeoires attirent les oiseaux par leur nourriture, elles attirent aussi des espèces indésirables, dont les écureuils.

Puisqu'il existe plusieurs sortes de mangeoires (suspendues, sur un mât ou encore spécialisées pour une espèce en particulier), un choix judicieux s'impose. Il faut connaître les avantages de chaque modèle de mangeoires ainsi que leurs désavantages. Le choix et la qualité de la nourriture demeure un facteur très important (voir le tableau page 30). Je me permets d'insister sur « la qualité » de cette nourriture. Trop de gens négligent ce point et plusieurs oiseaux en souffrent. Après une pluie ou simplement lors d'un changement subit de température, la nourriture peut s'avarier et propager des maladies, transmissibles parmi la faune aviaire. Certaines sont d'ailleurs mortelles comme la salmonellose, la variole aviaire, l'aspergillose et plusieurs autres. Outre les mangeoires, d'autres facteurs attirent aussi les oiseaux. Un point d'eau aura souvent plus d'attrait qu'un poste d'alimentation. Les oiseaux recherchent aussi le sable. Ils en ont grand besoin pour bien digérer et nettoyer leurs plumes. Un amas de branches dans un coin de votre cour peut aussi leur servir d'abri contre un éventuel prédateur ou simplement de gîte pour la nuit. Il est parfois difficile d'harmoniser judicieusement mangeoires, nourriture et accessoires surtout dans un espace restreint. Toutefois, certains animaux indésirables risquent aussi de manifester leur présence dont entre autres les pigeons et les écureuils. Cela est dû au fait que certaines municipalités interdisent de nourrir les pigeons et autres animaux, sous peine d'amendes assez sévères. Par exemple, vous nourrissez les oiseaux et malencontreusement des Pigeons biset fréquentent votre mangeoire. Sachez que votre voisin peut porter plainte à la municipalité parce que vous nourrissez les pigeons. Heureusement, il existe certaines solutions dont la meilleure est de ne jamais laisser de nourriture s'accumuler au sol et de savoir que les pigeons ont en horreur les mangeoires suspendues et branlantes...

LES ÉCUREUILS

Avec eux vous n'avez guère le choix. Ou vous les adoptez ou vous tentez de les repousser, ce qui n'est pas chose facile. Toutefois, si vous devez vivre avec ces petits mammifères dans votre entourage, ce qui peut aussi s'avérer intéressant, il vous faut protéger vos mangeoires contre un éventuel saccage. À cet effet, plusieurs trucs et appareils vous sont offerts sur le marché mais sont souvent onéreux et inutiles.

Ce qu'il vous faut savoir au sujet des écureuils, c'est qu'ils peuvent facilement faire un saut horizontal de 2.75 mètres et ce sans effort. Donc, il n'est pas recommandé d'installer des mangeoires près d'un balcon ou près d'une branche d'arbre. De plus, ces animaux sont d'excellents funambules, ne suspendez donc pas vos mangeoires à une corde à linge ou à une installation semblable. Pour protéger les oiseaux, certaines personnes installent à l'occasion une coupole sur le dessus de la mangeoire. Ce qui est fort utile sauf en hiver car suite à une pluie ou à une grande variation de température, la coupole

Photo : Diane Labonté

ÉCUREUIL GRIS

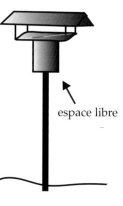

espace libre

perd sa mobilité et gèle. Elle n'est plus d'aucune utilité. Il faut se souvenir que les écureuils sont des grimpeurs hors-pair. Par contre, une mangeoire sur un mât ou un poteau reste la meilleure solution pour les repousser. Un simple tuyau judicieusement posé, de 20 centimètres de diamètre et de longueur de 30 centimètres, devient un obstacle infranchissable pour eux.

N.B. : *Dans une journée, l'écureuil n'a que 3 choses à faire : manger, dormir et réfléchir à la solution lui permettant d'accéder facilement à la nourriture des mangeoires qui lui est si généreusement offerte.*

L'EAU

L'eau est un élément indispensable pour l'oiseau. Lorsque la température descend sous le point de congélation il peut en effet facile-

Voici un autre modèle d'abreuvoir hivernal.

ment se déshydrater. Il est donc fort utile d'installer le poste d'alimentation avec un bassin d'eau à leur intention. Vous pouvez opter pour un modèle commercial ou en fabriquer un, peu onéreux. Un simple vase pour plante avec une baladeuse suffisent.

Pour ce faire, utilisez un vase en grès, d'un diamètre de 25 centimètres approximativement. Insérez une baladeuse à l'intérieur du vase et déposez le plateau de base qui sert maintenant de bassin d'eau, sur le vase. Prenez garde de ne pas verser plus d'un pouce d'eau, de la changer tous les jours, et de laisser en permanence la lumière allumée.

SOUVENT OUBLIÉ

Afin de favoriser la digestion chez la majorité des oiseaux et plus particulièrement chez les granivores, le gravier, le sable et les écailles d'huitres sont fort utiles.

Photo : Diane Labonté

GEAI BLEUS

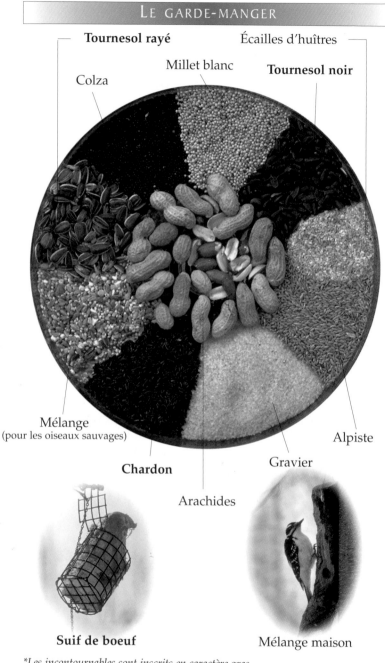

Tournesol rayé

Écailles d'huîtres

Colza

Millet blanc

Tournesol noir

Mélange
(pour les oiseaux sauvages)

Chardon

Arachides

Gravier

Alpiste

Suif de boeuf

Mélange maison

Les incontournables sont inscrits en caractère gras.

TOURNESOL NOIR
Aliment essentiel et nutritif pour la majorité des oiseaux.

TOURNESOL RAYÉ
Cardinal rouge
Geai bleu
Gros-bec errant
Pic chevelu
Pic mineur
Quiscale bronzé
Roselin pourpré
Sittelle à poitrine blanche
Sittelle à poitrine rousse

MILLET BLANC
(certains) bruants
Junco ardoisé
Moineau domestique
Pigeon biset
Roselin familier
Roselin pourpré
Sizerin flammé
Sizerin blanchâtre
Tourterelle triste

CHARDON
Carouge à épaulettes, Roselin familier
Chardonneret jaune, Sizerin flammé
Junco ardoisé, Sizerin blanchâtre
Moineau domestique, Tarin des pins
Tourterelle triste

ALPISTE
(certains) bruants
Junco ardoisé
Roselin familier
Roselin pourpré
Sizerin flammé
Sizerin blanchâtre
Tourterelle triste

COLZA
(certains) bruants
Junco ardoisé
Moineau domestique
Pigeon biset
Roselin familier
Tourterelle triste
Vacher à tête brune

MÉLANGE
(Menu pour les oiseaux sauvages)
Carouge à épaulettes, Moineau domestique
Corneille d'Amérique, Pigeon biset, Étourneau sansonnet,
Quiscale bronzé, Vacher à tête brune

*Note : Il est préférable d'éviter cette nourriture car
elle attire surtout les indésirables.*

ARACHIDES

Cardinal rouge, Sittelle à poitine blanche, Geai bleu
Sittelle à poitrine rousse, Pic mineur
Mésange à tête noire, Pic chevelu

ÉCAILLES D'HUÎTRE ET GRAVIER

C'est un choix judicieux de nourriture pour la majorité des
oiseaux, car il favorise leur digestion.

Geai bleu

Gros-bec errant

Photos : Diane Labonté

SUIF DE BOEUF

Le présenter dans un grillage plastifié
ou simplement suspendu dans un filet, (voir photo),
Corneille d'Amérique, Pic mineur
Mésange à tête noire, Pic chevelu
Sittelle à poitrine blanche, Sittelle à poitrine rousse

MÉLANGE MAISON DE SUIF

Badigeonné sur une bûche (voir photo)
Étourneau sansonnet, Pic mineur
Mésange à tête noire, Pic chevelu
Sittelle à poitrine blanche, Sittelle à poitrine rousse

MANGEOIRE SUSPENDUE

MANGEOIRE SUR UN MÂT

C'est la mangeoire la plus popu-laire mais aussi la préférée des écureuils.

Bien que difficile d'installation cet-te mangeoire est idéale pour contrer les animaux indésirables.

SILO

MAÏS

Photos (4) : Diane Labonté

C'est le type de mangeoire idéal pour les chardonnerets, tarins et sizerins. Le «silo» a comme parti-cularité d'avoir des ouvertures étroites situées sous le perchoir pour donner accès à la nourriture.

Ce type de mangeoire se construit à peu de frais grâce a quelques planches et quelques clous. Une faune aviaire que l'on veut di-versifiée s'y réfugiera.

Plusieurs modèles de mangeoires spécialisées existent, que ce soit pour les mésanges, les geais, etc. Ils sont efficaces mais à la con-dition d'avoir ces espèces dans votre voisinage. Ces types de man-geoires ne sont pas faits pour les attirer mais plutôt pour les habituer à fréquenter votre cour.

LE PRÉDATEUR

L'hiver les prédateurs fréquentent les mangeoires et la Touterelle triste semble les attirer plus particulièrement. Ils s'installent d'ailleurs
pour quelques jours et font fuir par la même occasion votre clien-
tèle aviaire. Faute de proies, ils abandonneront les lieux pour un
autre poste du quartier.

Vous aurez alors sans doute
l'occasion d'observer un Épervier brun de près et vous
découvrirez alors ses
habitudes, sa techni-
que de chasse et
son habilité.

ÉPERVIER BRUN

SUGGESTIONS POUR LES MANGEOIRES
Avec la collaboration de René Lepage

• Précédemment, je signalais qu'entretenir des mangeoires pour les oiseaux pouvait aisément se comparer à un petit laboratoire dans une cour. Voici quelques conseils d'un spécialiste de mangeoires et de nichoirs, M. René Lepage.

• Selon lui, la meilleure façon d'alimenter les oiseaux dans la cour est de leur offrir des graines au sol. Les oiseaux se sentent alors en sécurité et acceptent volontiers de se faire nourrir. Il faut toutefois reconnaître que nourrir les oiseaux au sol n'est pas très pratique. En plus du gaspillage, on attire des oiseaux moins désirables, comme les quiscales et les vachers par exemple ainsi que les mulots et les moufettes qui cherchent eux aussi à se ravitailler.

• Lorsque l'on nourrit pour la première fois les oiseaux, le sol est un excellent endroit pour les intéresser. Du haut des airs, les oiseaux verront facilement les graines au sol. S'il est recouvert de neige, on fera bien de disposer les graines sur une plate-forme afin qu'elles soient plus facilement repérables.

• Toutefois, il faut se souvenir que les oiseaux ont l'habitude de se nourrir au sol ou dans les arbres. Une mangeoire est une contrainte qu'il leur faut surmonter. Cependant n'ayez crainte, ils y arrivent facilement dès que la faim les tenaille un peu.

• Afin de ne pas avoir de surprises désagréables ne mêlez jamais le tournesol et le chardon, ni le millet et le maïs. Si vous le faites les oiseaux auront vite fait de jeter à terre les graines moins enviables. Les pigeons et les quiscales vous seront reconnaissants et viendront en très grand nombre se régaler sous vos mangeoires.

• Vous pouvez aussi choisir une mangeoire spécialisée pour chaque type de graines.
   Ainsi, les oiseaux attirés par le tournesol laisseront en paix les autres qui adorent le chardon. Et les plus petits ne seront plus chassés par les plus gros.

• Il est aussi essentiel d'espacer les mangeoires.Cela vous assurera une augmentation du nombre d'espèces. D'autant plus que les plus gros oiseaux ne prendront pas toutes les places disponibles. C'est la règle d'or aux mangeoires, les plus gros ont toujours raison. Il faut donc prévoir des mangeoires en tenant compte de la grosseur et des caprices de chacun.

• Afin que les chardonnerets puissent profiter de leur mangeoire, assurez-vous que les perchoirs soient si courts que les moineaux seront incapables d'y poser leurs pattes. Ou encore, utilisez une mangeoire munie de postes d'alimentation renversés. Il n'y aura alors que les petits acrobates jaunes qui pourront s'en servir.

• Pour éviter que les gros oiseaux comme les quiscales et les pigeons deviennent très envahissants placez la mangeoire dans une cage où seuls les plus petits oiseaux auront accès. De cette façon, ils se régaleront de tournesol à l'année longue.

• Il est aussi essentiel d'offrir de l'eau aux oiseaux. Cela les attire encore plus que les graines, surtout si vous demeurez éloigné des rivières et bien davantage encore l'hiver lorsque la température descend sous zéro.

• La nature est souvent cruelle. Afin de protéger ces ovipares, vous devez penser à leur offrir un refuge. Une haie de cèdre par exemple protégera les oiseaux de la cour contre leurs prédateurs ailés.

Photo : Diane Labonté

DURBEC DES SAPINS

• Incontestablement, le chat demeure le plus grand prédateur des oiseaux de la cour. À lui seul, il peut dévorer des centaines d'oiseaux chaque année. Il est souhaitable de le garder à l'intérieur. Mais comment faire lorsqu'il s'approche des mangeoires ? On peut choisir de servir les graines dans un plateau-récupérateur et encourager les oiseaux à se poser moins fréquemment au sol. On peut aussi ajouter quelques branches au sol.

• Les meilleures graines à offrir sont sûrement le tournesol et le chardon. Le tournesol intéresse plusieurs espèces comme le roselin, la mésange, le cardinal, tandis que le chardon est irrésistible pour les chardonnerets et les sizerins.

• Pour attirer les tourterelles durant la saison froide il faut utiliser le carthame, le colza et le millet blanc. L'été, elles se nourrrissent de millet blanc. Par contre, les Roselins familiers aiment se gaver de colza en été et de carthame en hiver. Ils ne délaissent pas pour autant le tournesol qui est une graine de choix en toute saison.

• Au cours de la belle saison, ne ratez pas la chance de faire pousser quelques plants de tournesols du Québec. Une fois les plants à maturité, vous y verrez des dizaines de chardonnerets passer des journées entières à décortiquer les graines tendres.

• De son côté, le tournesol de Floride produit des graines rayées dont le Geai bleu raffole. Offrez leur le tournesol entier sur un plateau. Le Geai bleu s'offrira en spectacle tant qu'il y en aura.

• Vous pourrez aussi créer un jardin d'oiseaux dans votre cour. En tenant compte de l'espace dont vous disposez.

VOICI QUATRE ÉLÉMENTS ESSENTIELS QUI FERONT DE VOTRE JARDIN UN SUCCÈS
1- Un point d'eau où les oiseaux peuvent s'abreuver et se baigner.
2- Un petit coin de refuge pour nicher, se cacher et même se reproduire.
3- Quelques mangeoires remplies de tournesols et de chardon.
4- Quelques arbres fruitiers dont le plus important est l'Amélanchier.

• Bien entendu les chardonnerets sont attirés par le chardon. Mais saviez-nous qu'ils raffolent aussi de la feuille de betterave ? D'ailleurs si l'espace dans votre jardin vous le permet, plantez des cosmos. Vous verrez alors ces magnifiques petits oiseaux se suspendre aux jeunes plants, s'y nourrir et faire des acrobaties.

UNE MANGEOIRE À PLATEAU

Les mangeoires à plateau ne sont pas toujours recommandées. Elles ont le fâcheux défaut d'offrir un perchoir aux espèces indésirables. C'est le cas des tourterelles qui occupent toutes les places destinées au Roselin familier ou pourpré. Les chardonnerets ne seront que de passage si les moineaux peuvent s'approcher aisément de la mangeoire qu'ils parviendront vite à occuper totalement.

René Lepage

Photo : Diane Labonté

ÉTOURNEAU ET PIC MINEUR

Quelques visites de mangeoires

Nourrir les oiseaux l'hiver, voilà une belle passion. Impossible de répertorier tous les postes d'alimentation existants mais après recherches auprès d'un réseau d'amis, sur internet et en ajoutant des endroits que je connais personnellement, voici un aperçu de 65 endroits à visiter. Les sites sont présentés par régions touristiques. À noter aussi que pour certains endroits des frais d'entrée et de stationnement sont exigés. Certains sites sont même aménagés pour recevoir les fauteuils roulants.

Il est important de savoir que dans certains parcs, il est interdit de nourrir les oiseaux et d'installer des nichoirs. Cette interdiction a pour but d'éviter de léser certaines espèces.

RECOMMANDATIONS
Quelques sites sont situés sur des propriétés privées. Il est donc préférable d'observer les oiseaux à partir de la rue, à moins d'obtenir l'autorisation des propriétaires.

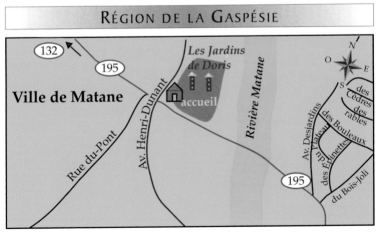

Matane

Les Jardins de Doris. Situés au 645 avenue Henri-Dunant, à Matane. Il s'agit du plus important réseau de mangeoires de la région, composé de 65 postes. Un accès pour les personnes handicapées est prévu (frais d'entrée).

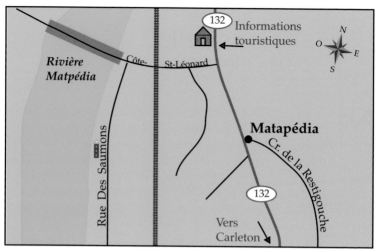

Matapédia

Les mangeoires sont à l'entrée du village de Matapédia. On y accède par le stationnement en face du garage Restigouche (Ultramar), situé au 4, rue Des Saumons.

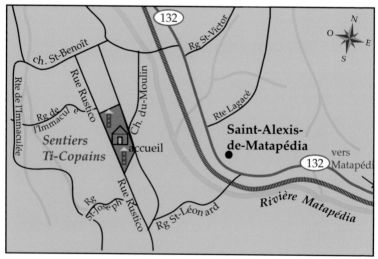

Saint-Alexis-de-Matapédia

Le Sentier Ti-Copains est situé au nord de l'édifice municipal au 121, rue Rustico-Nord. Les mangeoires sont entretenues par une bénévole, Mme Léa Gallant, du Club Ornitho-Avignon-Ouest.

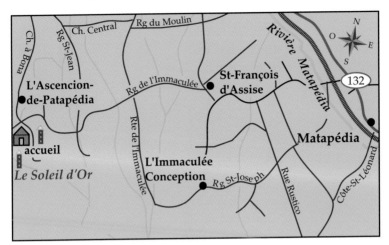

L'Ascension-de-Patapédia

Sentier pédestre Le Soleil d'Or.
Ce sentier est situé au bout de la
rue Principale. Un autre poste
d'alimentation est entretenu
par une bénévole du Club
Ornitho-Avignon-
Ouest, Mme
Céline Francoeur.

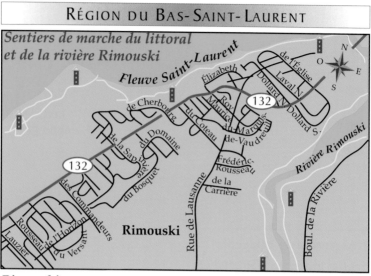

Rimouski

Sentier de marche du littoral et de la rivière Rimouski. Ce sentier comprend 14 accès différents. Des mangeoires sont entretenues par des bénévoles du Club d'ornithologie du Bas Saint-Laurent.

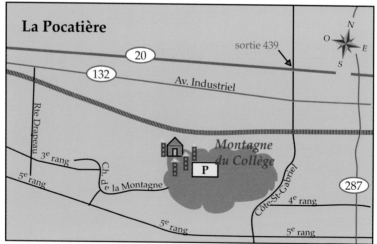

La Pocatière

La Montagne du Collège. Il s'agit d'un parc privé mais ouvert au public. Pour s'y rendre il faut prendre la sortie 439 direction sud, puis la route 230 et suivre les indications sur les panneaux routier.

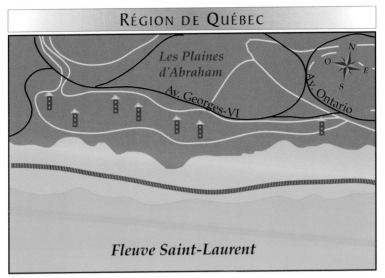

Québec

Les Plaines d'Abraham. Les mangeoires se trouvent au sud-ouest des Plaines, juste avant les falaises. On y accède par les rues Geoges-VI et Ontario où un stationement est prévu. Comme c'est un lieu touristique, il est préférable de visiter l'endroit très tôt le matin pour mieux jouir de la quiétude du site.

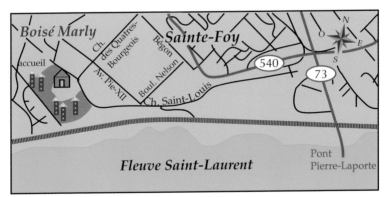

Sainte-Foy

Le Boisé Marly. Ce boisé est un véritable jardin d'oiseaux. Le parc est entouré par la rue Marly au bout du chemin des Quatres-Bourgeois près du fleuve Saint-Laurent.

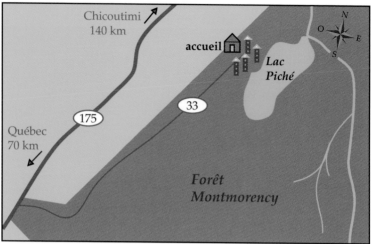

Québec

Forêt Montmorency. La Forêt Montmorency est située à 70 kilomètres au nord de Québec. Pour s'y rendre on emprunte la route
175 nord jusqu'au kilomètre 103.

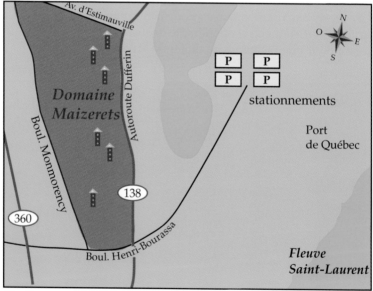

Québec

Domaine Maizerets. L'entrée est située au 2000, boulevard Montmorency, à Québec. C'est aussi le siège social du Club d'ornithologie de Québec.

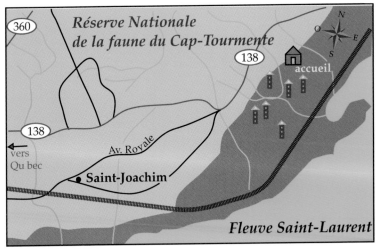

Saint-Joachim-de-Montmorency.

Réserve nationale de la faune du Cap-Tourmente. Cette réserve comporte 55 mangeoires pour 16 stations. Pour s'y rendre prenez la route 138 jusqu'à Saint-Joachim-de-Montmorency.

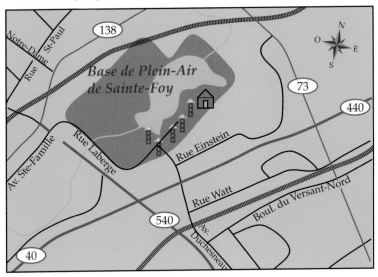

Québec

Base de Plein air de Sainte-Foy. Les mangeoires se trouvent le long des sentiers. Il s'agit du deuxième centre d'importance pour l'observation des oiseaux dans la région de Québec.

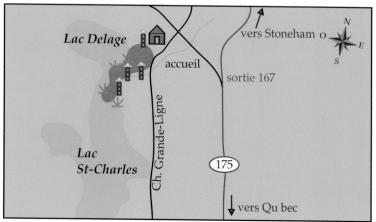

Stoneham

Marais-Nord du Lac Saint-Charles. Ce lieu d'observation se trouve à seulement 20 minutes de Québec. Il est officiellement fermé l'hiver mais des bénévoles y entretiennent les mangeoires régulièrement.

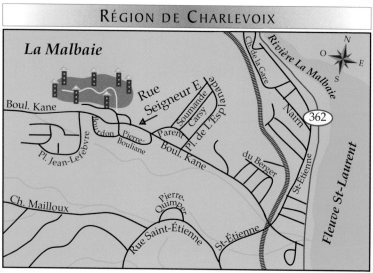

La Malbaie

Le sentier du Club aux oiseaux. Ce sentier de moins d'un kilomètre est entretenu par le Club aux oiseaux, ses membres et bénévoles. Il comporte 12 mangeoires à tournesol et 12 paniers à suif. Situé à La Malbaie, près de la rue de la Montagne, ce sentier qui existe depuis 7 ans, est accessible par le boulevard Kane et la rue Seigneur.

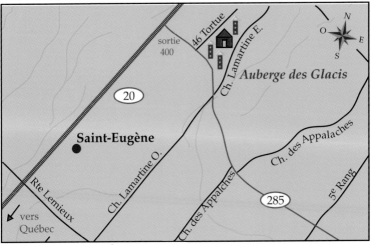

Saint-Eugène-de-l'Îslet

Auberge des Glacis. Ce sentier est situé au 46 Tortue. On y trouve en plus des nombreuses mangeoires sur place, des activités aviaires offertes régulièrement.

RÉGION DE LA MAURICIE

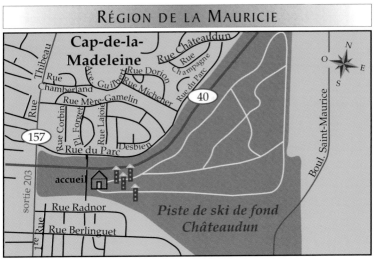

Cap-de-la-Madeleine

Piste de ski de fond Châteaudun. Ce sentier comporte trois postes d'alimentation. Pour s'y rendre il faut suivre l'autoroute 40, et prendre la sortie Thibeau-Nord. On accède aux pistes par un tunnel sous l'autoroute.

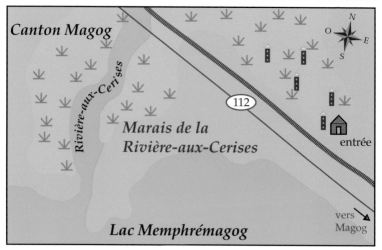

Canton Magog

Marais de la rivière-aux-cerises. On y accède par la route 112 du Canton Magog. Un stationnement et des infrastrutures sont disponibles sur place.

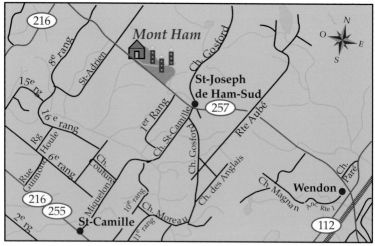

Ham-Sud

Mont-Ham. Ce lieu peu connu mérite d'être visité. Situé au 103, route 357. Un poste d'alimentation avec mangeoires est présent au chalet d'accueil.

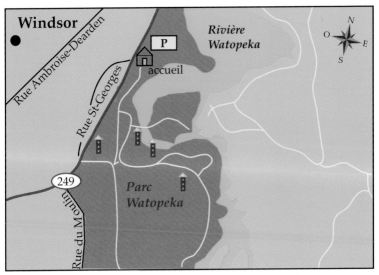

Windsor

Parc Watopeka. Pour se rendre à ce site, il faut prendre la sortie 71 de l'autoroute 55 et aller au 342, de la rue St-Georges. Les mangeoires sont près du Centre culturel et patrimonial La Poudrière.

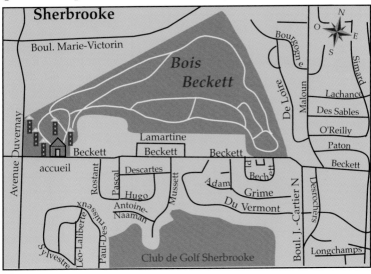

Sherbrooke

Le Boisé Beckett. Des mangeoires sont installées dans les sentiers de ce parc urbain. L'entrée est située sur la rue Beckett, au bout de la rue Jacques-Cartier.

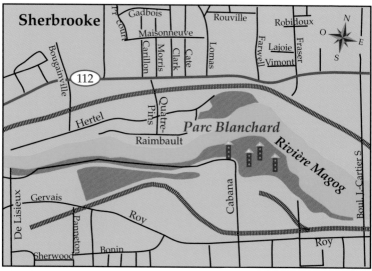

Sherbrooke

Le Chalet d'accueil du Parc Blanchard. Les mangeoires se situent au Centre d'accueil à la Maison de l'Eau au bout de la rue Cabana, près de la rivière Magog.

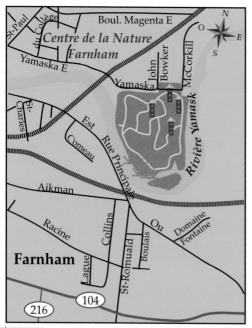

Farnham

Centre de la Nature Farnham. Cet îlot de la nature est d'une grande diversité. On y retrouve plusieurs postes d'alimentation. Une pépinière sert aussi de refuge pour la faune aviaire. Ce site est ouvert à l'année et possède un stationnement, des toilettes, des sentiers entretenus et autres infrastructures..

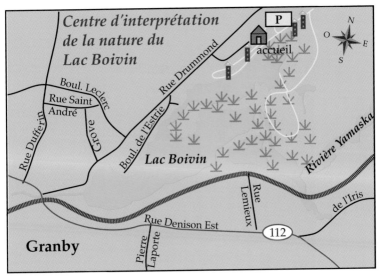

Granby

Le Centre d'interprétation de la nature du lac Boivin. Ce centre est situé au 700, rue Drummond à Granby. Ici on vous encourage à nourrir les oiseaux dans votre main. C'est un site idéal pour une initiation.

Voici un bel exemple qu'un amas de branches peut servir d'abri contre l'Épervier brun.

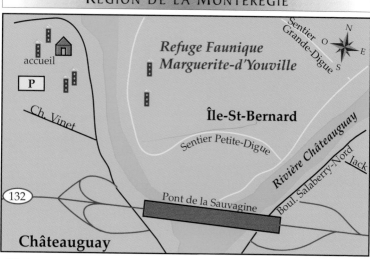

Châteauguay

Refuge Faunique Marguerite-d'Youville. Plusieurs mangeoires sont placées à 3 endroits différents. Toutefois, pour s'y rendre l'hiver il faut utiliser le pont de la Sauvagine.

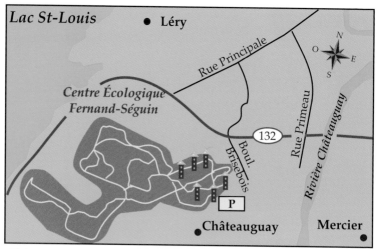

Châteauguay

Centre Écologique Fernand-Séguin. Le parc est situé au bout du boulevard Brisebois à Châteauguay, derrière l'école polyvalente.

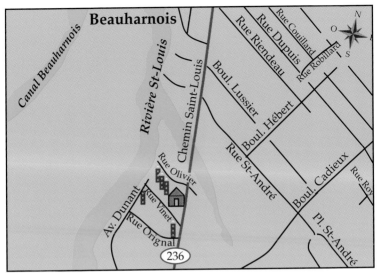

Beauharnois

Il s'agit d'une propriété privée située sur la rue Olier à l'angle du chemin Saint-Louis. On peut facilement y observer les oiseaux à partir de la rue.

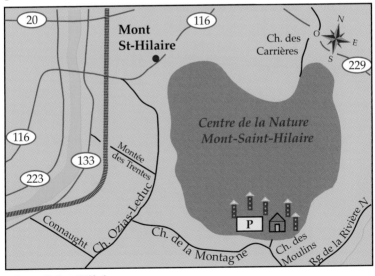

Mont-Saint-Hilaire

Parc du Mont-Saint-Hilaire. On retrouve près du pavillon d'accueil un poste d'alimentation de 5 ou 6 mangeoires.

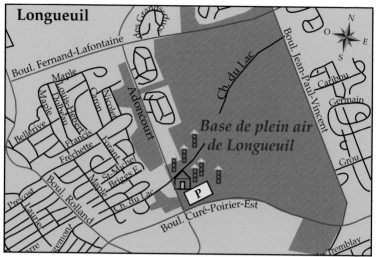

Longueuil

Parc régional de Longueuil. Dans ce parc les mangeoires sont situées près du pavillon d'accueil et du relais. Toutes les infrastructures y sont disponibles.

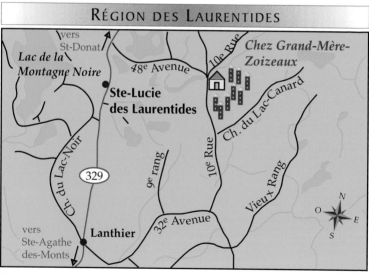

Saint-Donat

ChezGrand-Mère-Zoizeaux. Ce site est situé à Sainte-Lucie des Laurentides, au 3496, 10ᵉ Rue. Les oiseaux s'y régalent tous les jours de 25 kilos de graines de tournesol.

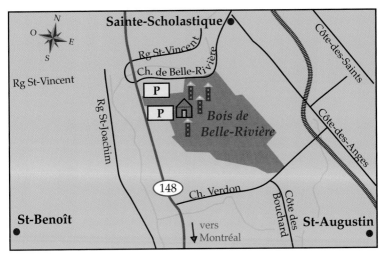

Mirabel

Bois-de-Belle-Rivière. Ce parc, accessible durant toute l'année est situé au 9009, Boul. Arthur-Sauvé. Avec la collaboration du Club de Mirabel, des mangeoires sont entretenues près de l'accueil. Prévoir des frais d'accès.

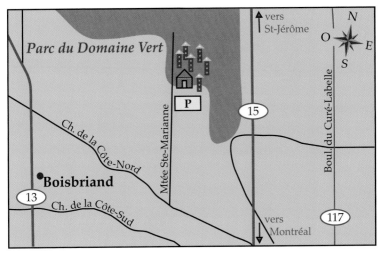

Mirabel

Parc du Domaine Vert. Ce site se trouve au 10 423, Montée Marianne, à 15 minutes de Montréal. Pour s'y rendre, prenez la sortie 23 de l'autoroute 15. Les mangeoires se retrouvent près de l'administration et de la cafétaria. Prévoir des frais d'accès.

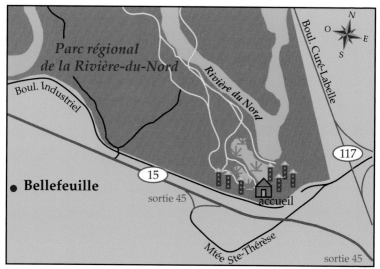

Ville de Lafontaine

Parc Régional de la Rivière-du-Nord. Pour vous rendre à ce parc, prenez la sortie 45 de l'autoroute 15 à Saint-Jérome, puis suivez la Montée Meunier à gauche. Les mangeoires sont près du poste d'accueil.

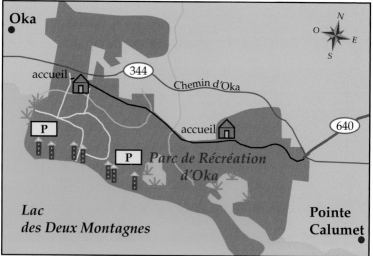

Oka

Parc Paul-Sauvé. Le parc est situé au bout de l'autoroute 640 ouest. Un réseau de mangeoires se trouve entre la plage et les premiers conifères.

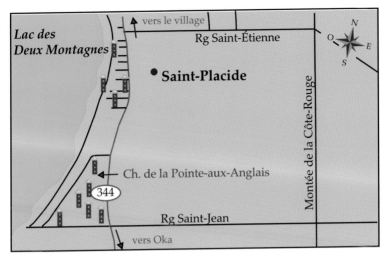

Saint-Placide

Le chemin de la Pointe-aux-Anglais est situé dans une zone résidentielle où de nombreuses mangeoires sont disponibles. C'est un détour qui en vaut la peine.

...et le buffet

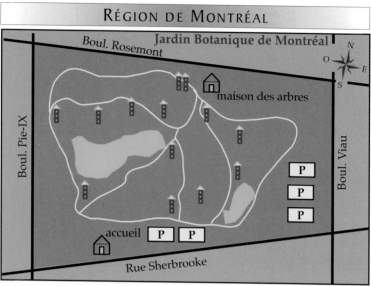

Montréal

Jardin Botanique de Montréal. Voici un oasis aviaire situé en plein milieu urbain. La grande diversité d'arbres fruitiers offre aux oiseaux un garde-manger sans cesse renouvelé.

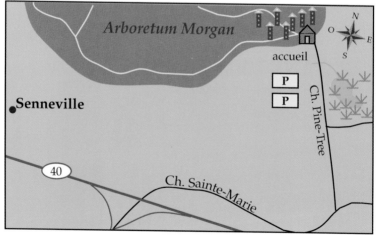

Montréal

Arboretum Morgan. Pour se rendre sur ce site suivez l'autoroute 40, jusqu'à la sortie 41. Puis, suivez les indications vers le chemin Sainte-Marie et allez au bout du chemin des Pins. Le site possède 4 ou 5 mangeoires.

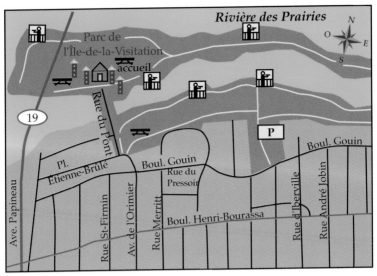

Montréal

Parc de l'Île-de-la-Visitation. Ce parc riverain est situé au 2425, boulevard Gouin Est. Une mangeoire est installée près du chalet et une deuxième est située sur l'île même.

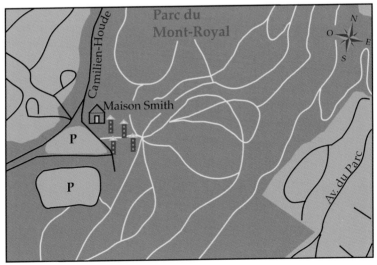

Montréal

Parc du Mont-Royal. Sur le Mont Royal, des mangeoires sont entretenues près de la maison Smith. On y accède par les boulevards. Camilien-Houde et Remembrance.

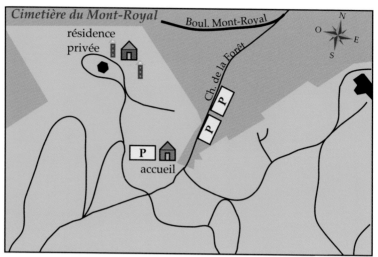

Montréal

Cimetière du Mont-Royal. Veuillez noter que ce site est une propriété privée ouverte au public. Pour les groupes, il est préférable d'appeler à l'avance au numéro de téléphone suivant : (514) 279-7358.

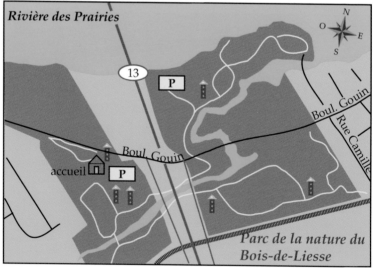

Montréal

Bois-de-Liesse (Pierrefonds). Vous pouvez accéder à ce site par la Maison Pitfield située au 9432, Gouin Ouest et par l'accueil Deschamps au 3555, Douglas-B-Floreani.

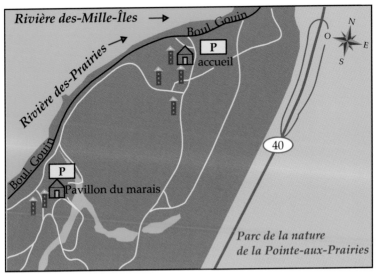

Montréal

Parc de la nature de la Pointe-aux-Prairies. Ce parc possède des mangeoires à 3 endroits :
Le Chalet d'accueil Rivière-des-Prairies au 12 980, boulevard Gouin Est.
Le Pavillon des Marais au 12 300, boulevard Gouin Est.
Le Chalet de l'Héritage au 14 905, rue Sherbrooke Est.

Montréal

Parc de la nature du Bois-de-l'Île-Bizard. Ce parc se trouve au 2115, chemin du Bord-du-Lac. Il possède 5 mangeoires ainsi que plusieurs sentiers pédestres ainsi que des pistes de ski de fond.

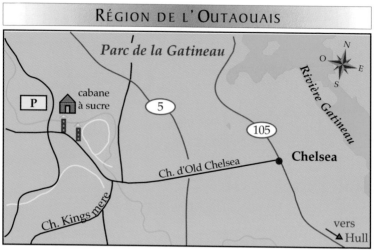

Parc de la Gatineau.

Centre d'information de la Gatineau. Le centre est situé au nord du chemin Old Chelsea. À la sortie d'Old Chelsea, une mangeoire est placée près du bureau et une autre près de l'ancienne cabane à sucre.

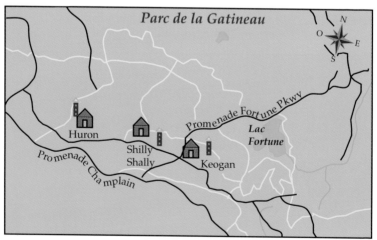

Parc de la Gatineau.

Les relais Keogan, Shilly Shally et Huron. Les 3 mangeoires sont situées le long de la piste N°1 et accessibles à partir de plusieurs stationnements. Pour s'y rendre il faut prendre la route 148 et ensuite la promenade de la Gatineau.

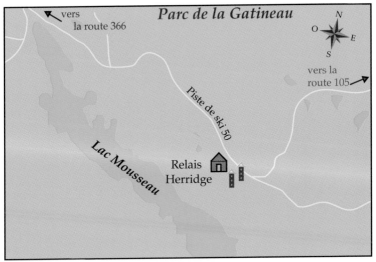

Parc de la Gatineau.

Le relais Herridge. Ce relais est situé dans la vallée Meech du parc près du Lac Mousseau, juste après le Lac Philippe. Pour s'y rendre il faut prendre la piste 50 à partir de la route 366.

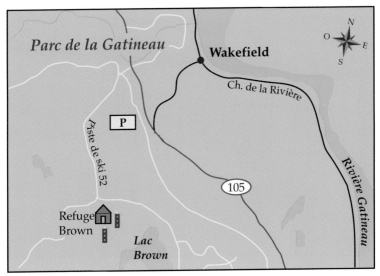

Parc de la Gatineau.

Le refuge Brown. Ce refuge est situé près du lac du même nom, juste avant la ville de Wakefield. La mangeoire est située près du refuge. Pour y arriver, il faut utiliser les pistes 52 et 57.

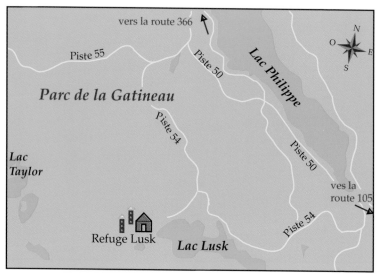

Parc de la Gatineau.

Le refuge Lusk. Pour se rendre, prendre la route 5, puis la 105 Nord et ensuite la 366 Ouest. C'est juste après le lac Gauvreau et avant Ste-Cécile-de-Masham. La mangeoire est accessible par la piste N °54.

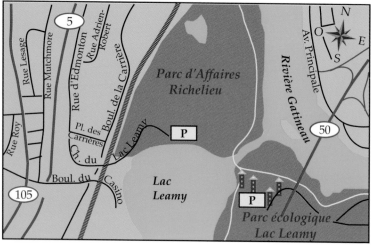

Hull

Parc du Lac Leamy. On y accède par l'extrémité du boul. Saint-Raymond, on tourne ensuite à gauche au boulevard de la Carrière. Les mangeoires sont près des terrains de stationnement.

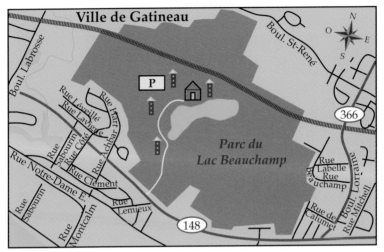

Gatineau

Parc du Lac Beauchamp. L'entrée se situe entre les boulevards Lorrain et Labrosse. On y accède par la route 148. Les mangeoires sont au sud du lac. Pour s'y rendre prenez le sentier Nº 5 et rendez-vous près de l'enclos.

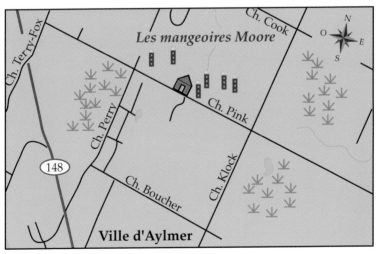

Aylmer

Musée Canadien de la Faune. Celui-ci est situé au 1740, chemin Pink, aussi connu sous le nom « les mangeoires Moore » on y retrouve une quinzaine de postes d'alimentation placés le long du sentier.

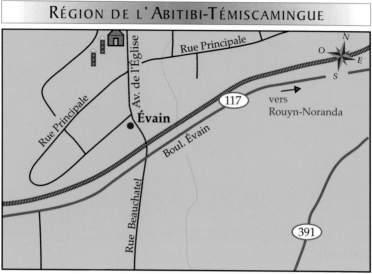

Evain

Piste de ski de fond. Cette piste se situe au 250, rue de l'Église. C'est un cul-de-sac qui se termine à une ancienne mine. Les mangeoires sont au refuge des Castors.

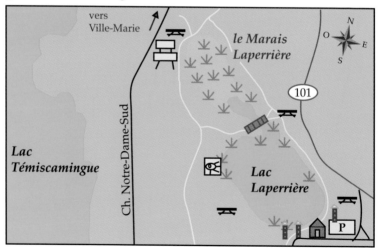

Ville-Marie

Marais Laperrière. Situé sur le chemin Notre-Dame-Sud, la CALDO, qui gère le site prévoit, installer ses premières mangeoires pour l'hiver 2002-2003. Pour information : (819) 629-2522.

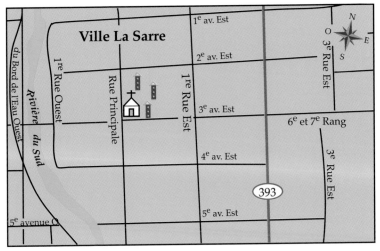

La Sarre

Le Parc de l'Église. Le parc est situé à gauche de la seule église de l'endroit, au 230, rue Principale.

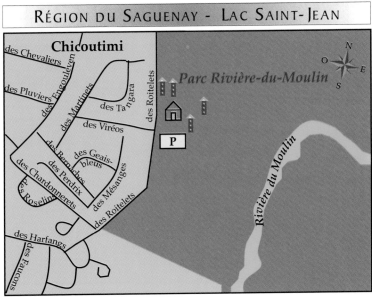

Ville Saguenay

Parc de la Rivière-du-Moulin. Ce parc est situé à l'arrière du centre commercial Place du Royaume, au 1625, rue des Roitelets. À noter que ce parc est ouvert toute l'année.

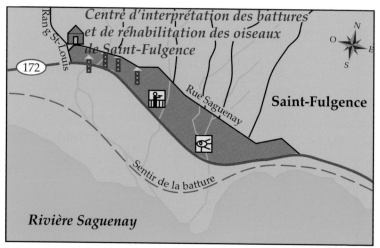

Saint-Fulgence

Centre d'interprétation des battures et de réhabilitation. Ce centre est situé au 104, du Cap-des-Roches. On y retrouve 7 ou 8 mangeoires installées près du poste d'accueil.

RÉGION DE LA CÔTE-NORD

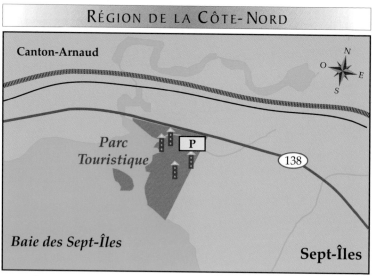

Sept-Îles

Parc Rivière-des-Rapides. Il est situé à la jonction de la route 138 et la Rivière-Rapide. Des mangeoires sont entretenues par une équipe de bénévoles, près du stationnement.

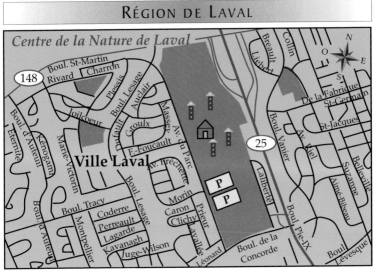

Laval

Centre de la Nature. Situé au 901, avenue du Parc, ce parc est sans contredit l'un des plus beaux oasis urbains en Amérique du Nord.

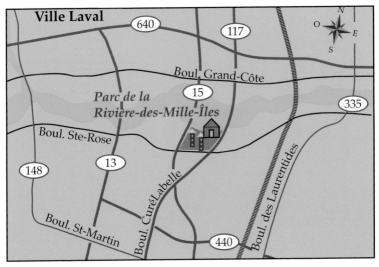

Laval

Éco-Nature. On accède à ce site par le 345, boulevard Sainte-Rose à Laval. Plusieurs mangeoires y sont entretenues. On retrouve aussi sur ce site un sentier pédestre avec passerelles et belvédère.

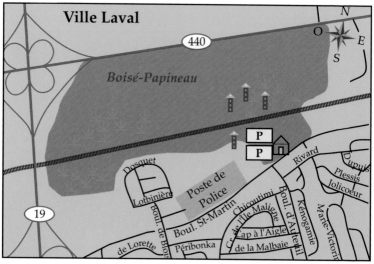

Laval

Boisé-Papineau. L'entrée se trouve au 3235, boulevard Saint-Martin Est. Les mangeoires sont situées au nord-ouest, près de la voie ferrée qui longe le stationnement.

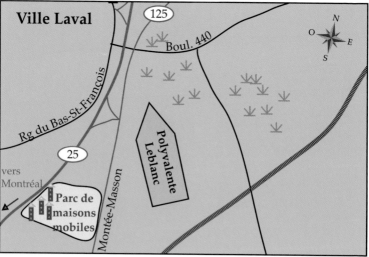

Laval

Parc de maisons mobiles. Ce parc est situé au 1495, Montée-Masson. Il s'agit d'un parc pour maisons mobiles où des gens installent des mangeoires. Le secteur productif est celui près de l'autoroute 25.

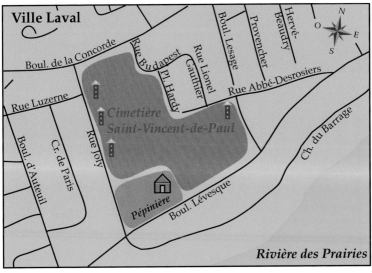

Laval

Cimetière de Saint-Vincent-de-Paul. Ce site est situé au 3503, boulevard Lévesque. Les mangeoires se retrouvent du côté ouest, à l'arrière de plusieurs maisons.

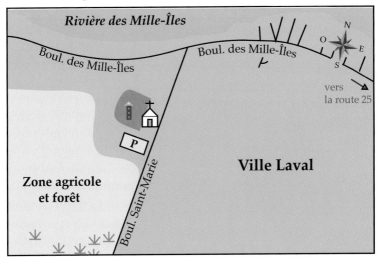

Laval

Montée Sainte-Marie. Il s'agit d'un endroit peu connu. Ce poste d'alimentation (derrière l'église) est actif grâce au Club d'ornithologie de la région et d'un de ses membres.

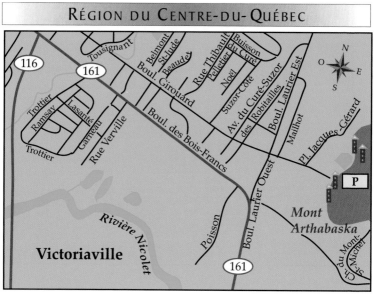

Victoriaville

Mont Arthabaska. Les mangeoires sont installées le long d'un petit sentier de raquettes. Il faut stationner au sud de la rue Girouard.

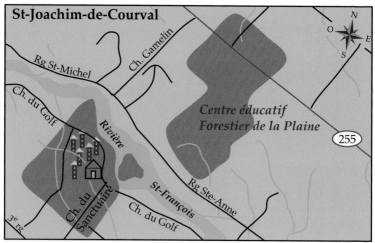

Sainte-Marjorique

Centre éducatif Forestier de la Plaine. Plusieurs mangeoires sont en opération. Pour s'y rendre, prenez l'autoroute 20, sortie 179 et suivez la direction chemin du Golf-Nord pendant 6 kilomètres.

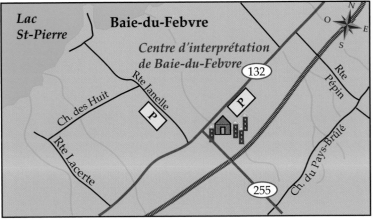

Baie-du-Febvre

Centre d'interprétation de Baie-du-Febvre. Ce centre est situé au 420, rue Marie-Victorin. Connu pour sa migration d'Oies des neiges, deux mangeoires sont installées au centre d'intepétation.

Photo : Diane Labonté

71

HARFANG DES NEIGES

Photo : Diane Labonté

LE HARFANG DES NEIGES

*Avec la collaboration de Guy Huot
et Trak Concept de cartes*

HABITAT ET NOURRITURE

Emblème aviaire du Québec depuis 1987, le Harfang des neiges symbolise bien notre adaptation à une vie ardue sous un climat hostile (nos « quelques arpents de neige »...). Citoyen de la toundra arctique, le Harfang des neiges fait des apparitions cycliques dans les régions habitées du sud du Québec, des autres provinces du Canada, ainsi qu'au nord des États-Unis.

En effet, à tous les quatre ou cinq ans, il doit s'exiler hors de son territoire natal à cause d'une pénurie de nourriture. Son mets de prédilection, le lemming (une espèce de petite souris de la toundra), est un petit rongeur qui connaît d'importantes fluctuations de population. Lorsque sa proie voit ses effectifs diminuer dangereusement, le prédateur effectue alors une migration vers le sud pour assurer sa survie.

Lors de ses incursions dans nos régions, il fréquente de préférence les endroits découverts comme les grandes terres agricoles qui lui rappellent son habitat naturel. On le retrouve alors dans les grandes étendues qui correspondent plus ou moins à la toundra d'où il vient : champs cultivés, champs à découvert, pâturages. On l'observe aussi près des marais et aux abords des grands cours d'eau. Bref, dans les habitats pouvant lui fournir une nourriture abondante (souris, campagnols, mulots et autres). C'est dans ces circonstances qu'il pourra s'approcher des habitations. Il ira même jusqu'à faire une visite dans un bâtiment de ferme à la recherche de sa pitance.

Bien qu'il nous visite en petit nombre chaque hiver, ce n'est, par contre, qu'à tous les cycles correspondant au manque de nourriture que l'on assiste à de véritables invasions dans le sud du Québec.

COMPORTEMENT

Le trait le plus remarquable du Harfang des neiges est le fait qu'il ajuste son taux de reproduction en fonction de la disponibilité de sa nourriture.

Les années où il y a abondance de lemmings, il pourra élever une couvée de 8 à 12 jeunes, alors qu'en période de disette, il se contentera d'un ou de deux rejetons. Il ira même jusqu'à éviter de se reproduire en temps de famine. Cet impressionnant comportement l'empêche de donner la vie à une progéniture qui n'aurait que peu ou pas de chance de survie. Ce qui est un exemple extraordinaire de relation avec son environnement.

Le plumage tacheté de la femelle est une adaptation à son rôle de protectrice de la nichée. De cette façon, le nid reposant au sol durant l'été boréal, la femelle, plus grosse que le mâle, passe plus facilement inaperçue. Dans le décor dénudé de la toundra, le camouflage est de mise pour éluder les pilleurs de nids potentiels. Les oisillons sont cloués au sol pour une quinzaine de jours alors que les oeufs ont été couvés durant un mois. On comprend donc que le taux de mortalité chez les jeunes soit de plus de 30 %. Par contre, une fois cette période cruciale franchie, l'espérance de vie du Harfang des neiges est d'environ 17 ans.

Lors de son premier voyage dans les secteurs peuplés du sud du Québec et du Canada ou dans le nord des États-Unis, le jeune Harfang des neiges vagabonde ici et là, parfois même beaucoup plus au sud que les adultes. Cependant, en étant pour la première fois de sa vie confronté avec l'être humain, il ne se méfie pas de ce curieux animal bipède, ce qui le rend très vulnérable.

OBSERVATIONS PARTICULIÈRES ET ANECDOTES

- Le Harfang des neiges est circumpolaire et on le rencontre dans toutes les régions arctiques du monde.

- Il est l'un des plus gros, des plus puissants et des plus lourds de la famille des hiboux de l'Amérique du Nord.

- Le Harfang des neiges possède des atouts remarquables pour s'adopter à son milieu : un plumage dense et fourni, des pattes emplumées jusque sous les doigts, une ouïe exceptionnelle et une vue perçante, lui permettant de localiser facilement une souris sur la neige à plus de trois kilomètres de distance.

- La mobilité de sa tête est surprenante : les yeux étant fixes vers l'avant, il compense son champ de vision restreint par sa capacité à pivoter sa tête sur 280°.

- À Rigaud, lors d'un hiver particulièrement doux où les mulots proliféraient à outrance, j'ai pu observer un Harfang des neiges se lançant sur ce rongeur. Arrivé à la hauteur de sa proie, il sortit

ses pattes, attrapa de ses serres le mulot qui fut tué instantané-
ment. Étonnamment le Harfang des neiges délaissa sa victime et,
lui jetant un coup d'œil impassible, regagna son poste de guet au
sommet de l'arbre d'où il était venu.

- Le rôle du prédateur dans la nature est de protéger l'environnement contre une infestation démesurée d'un élément du milieu
ambiant. Comme il n'y a pas de médecin chez les animaux, ce
sont les rapaces qui contribuent a limiter la fécondité parfois ex-
plosive de la vermine.

SES TERRITOIRES DE CHASSE

Après avoir suivi sur internet, pendant les 3 dernières années, leurs
déplacements et fréquences territoriales, il m'est très aisé de déterminer les principaux lieux qu'ils fréquentent assidûment tous les hivers et de présenter les cartes suivantes.

Avant de partir à la recherche du Harfand des neiges, il est pri-
mordial de bien connaître les territoires de chasse de ce prédateur.

Pour les trajets suivants, tous les endroits ont été assidûment vé-
rifiés. Le taux de succès est assez impressionnant. Cependant, il faut
tenir compte de la population migratrice pour la saison. Si une
baisse de migrateurs se fait sentir, il est certain que les sites seront
moins fréquentés.

Même si les cartes de ce livre sont assez précises je vous recom-
mande de vous munir d'une carte géographique plus détaillée pour
mieux localiser les endroits visités.

Référence : www.trakmaps.com

Harfang des neiges

Photo : Diane Labonté

Le Harfang des neiges passe 95 % de son temps sur son perchoir. Contrairement à certains autres rapaces, il ne survole pas le territoire, il chasse à l'affût.

Harfang des neiges mâle

Harfang des neiges femelle

Photos : Diane Labonté

Des différences évidentes existent entre les deux sexes et les jeunes. Le mâle a un plumage beaucoup plus blanc tandis que la femelle est plus tachetée. Autre différence : la grosseur de l'oiseau. La femelle est de 20 à 25 % plus grosse que le mâle. Ce qui n'est pas évident, ici, sur ces photos, mais sur le terrain le fait est remarquable. À noter que pour le jeune, le plumage peut varier et passer d'un gris pâle moustachu noir sur près de 80 % de son plumage.

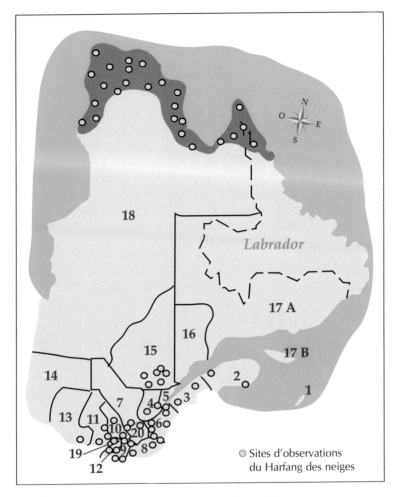

○ Sites d'observations
du Harfang des neiges

1	Îles de la Madeleine	**12**	Montréal
2	Gaspésie	**13**	Outaouais
3	Bas-Saint-Laurent	**14**	Abitibi-Témiscamingue
4	Québec	**15**	Saguenay Lac-Saint-Jean
5	Charlevoix	**16**	Manicouagan (Côte-Nord)
6	Chaudière-Appalaches	**17a**	Duplessis (Côte-Nord)
7	Mauricie	**17b**	Île d'Anticosti
8	Cantons-de-l'Est	**18**	Nord-du-Québec
9	Montérégie	**19**	Laval
10	Lanaudière	**20**	Centre-du-Québec
11	Laurentides		

Dans cette région, seulement quelques Harfangs des neiges hivernent. Ils commencent à peine à faire sentir leur présence migratoire. Pour ainsi dire, ils n'ont pas de véritables territoires de chasse connus. Ils sont plutôt de passage, et encore les quelques individus qui décident d'hiverner dans la région sont très mobiles et instables il est donc difficile de les localiser. Il devient très ardu de repérer leurs terrains préférés. Très peu d'Harfangs des neiges sont signalés ici. Pour l'hiver 2001-2002, seulement quatre ou cinq présences étaient rapportées et rarement d'une façon assidue. Il ne faut pas oublier que la subsistance du Harfang des neiges dépend en partie de la population de souris Campagnol. Or, ces rongeurs ne sont pas légion sur ce territoire et l'abondance de neige rend difficile la chasse aux petits rongeurs.

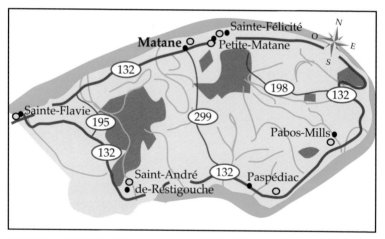

NOTES D'OBSERVATION

Pour le simple plaisir de connaître leurs fréquentations territoriales dans la région, voici un bref résumé de leurs apparitions. En débutant par Sainte-Flavie, un premier se pointait à l'est du village.Un autre a fréquenté les alentours du port de Matane pour quelques jours au début de décembre. Le passage de certains individus a aussi été signalé à Petite-Matane et à Sainte-Félicité. D'autres on été aperçus au sud de la péninsule : à Pabos-Mills, Paspébiac et Saint-André-de-Restigouche sur le rang 3. Malgré ces quelques signalements, on constate qu'ils sont très mobiles et sont présents par intermittence seulement.

Quelques Harfangs des neiges hivernent dans la région mais peu d'informations circulent sur leur présence à l'intérieur des terres. Il y en a probablement quelques-uns, mais il est difficile de savoir où ils se retrouvent exactement. Comme la majorité des observateurs circulent près des côtes ces derniers signalent généralement la présence des Harfangs des neiges.

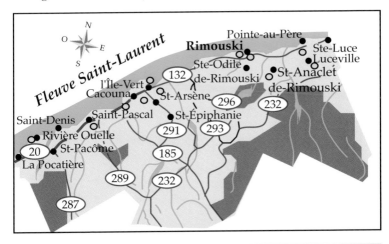

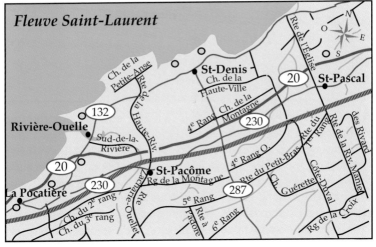

Note : jamais plus d'une ou deux espèces n'ont été signalées dans une même journée dans ce secteur.

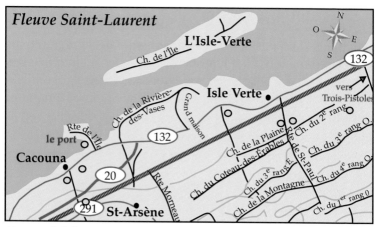

Note spéciale : en janvier 2002, quatre Harfangs des neiges ont été aperçus à l'Isle-Verte, et ce, le même jour.

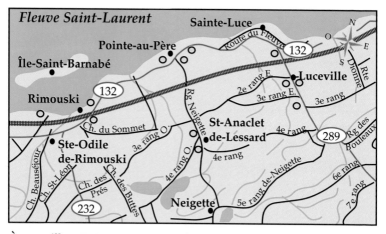

À surveiller : Pointe-au-Père semble l'endroit le plus approprié pour l'observation de cet oiseau. On y a d'ailleurs observé jusqu'à trois Harfangs des neiges. Un autre a été aperçu à Luceville, un individu près du 245, rue Saint-Pierre, à la ferme Émilien Chouinard et un autre près du 261, Rang 2. À Rimouski, un Harfang des neiges a été observé à l'angle du 2e Rang et de la Montée Industrielle et deux autres en bordure de l'autoroute 20. À Saint-Anaclet, un autre fut aperçu derrière le marché aux puces à l'entrée ouest du village, tandis qu'un second faisait le guet dans le secteur des étangs d'épuration. Pour terminer, à Saint-Odile-de-Rimouski, un Harfang des neiges a été observé en train de chasser près de l'autoroute 20 et de la route 232.

Seulement quelques Harfangs des neiges fréquentent le sud de la région de Québec. Par contre, le triangle formé par Beauport, Vanier et le fleuve est le plus propice à l'observation. Les lampadaires des autoroutes, utilisés comme perchoirs, semblent les attirer. Peu d'individus de cette espèce on été signalés dans la région du nord du Québec. C'est pourquoi seulement la section sud est représentée sur les cartes géographiques ci-dessous.

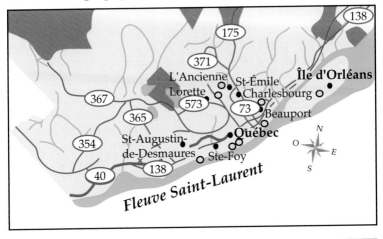

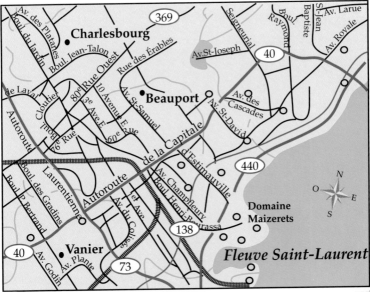

À surveiller : au Vieux-port de Québec un Harfang des neiges semblait avoir adopté les lieux. Par contre, cinq autres fréquentaient la Baie de Beauport. Concernant les autoroutes, les lampadaires préférés de ces oiseaux sont situés à l'intersection de l'autoroute de la Capitale et du boulevard Pierre-Bertrand. À la jonction des autoroutes de la Capitale et Dufferin-Montmorency deux Harfangs des neiges ont été observés, ainsi qu'à la jonction de l'autoroute Dufferin-Montmorency et de l'avenue d'Estimauville tout comme près du boulevard François-De-Laval. Dautres furent aperçus toujours sur l'autoroute Dufferin-Montmorency, un peu à l'ouest du pont de l'île d'Orléans et à l'intersection de la rue Clémenceau et du boulevard Saint-David, à Beauport. Finalement, on en observa aussi à la jonction des autoroutes de la Capitale et de la Laurentienne, sur la rue Bouvier.

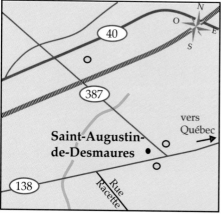

À surveiller : On a observé aussi a plusieurs reprises un Harfang des neiges dans la région de Saint-Augustin-de-Desmaures, un sur Fossambault entre l'autoroute 40 et Saint-Augustin. Pour l'Ancienne-Lorette le meilleur endroit pour observer cet oiseau se trouve le long de l'autoroute de la Capitale et Henri-IV.

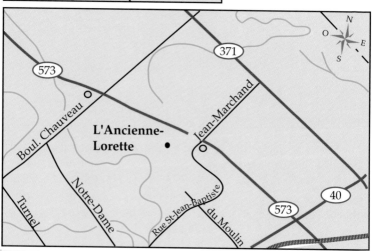

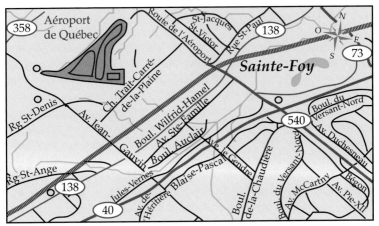

À surveiller : au Cap Tourmente, un Harfang des neiges se trouvait généralement à l'ouest de la Grande-Ferme. Un autre chassait sur le rang St-Denis et près de l'aéroport à Sainte-Foy.

Région de Charlevoix

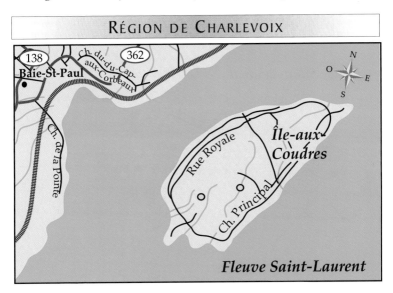

À surveiller : pour cette région touristique les seules observations faites pour l'hiver 2001-2002 furent deux Harfangs des neiges à l'Île-aux-Coudres. Peu d'entre eux furent aperçus a l'intérieur des terres. **Note :** les informations sur les Harfangs des neiges pour les années antérieures sont rares. Il faut aussi tenir compte que ce territoire n'est pas un milieu agricole de vaste étendue.

Cette région semble être la plaque tournante de migration des Harfangs des neiges. Il se dirigent par la suite dans les régions de la Montérégie et de Lanaudière. C'est pourquoi, contrairement à leur habitude de solitaire, ils sont parfois grégaires au début de décembre. Beaucoup d'entre eux passent la saison hivernale à explorer les grands champs en quête de nourriture. Il est déjà arrivé que l'on signale leurs présence à Montmagny. Ainsi, en décembre 2001, un Harfang des neiges a été aperçu sur le rebord de la toiture de l'hôpital de la ville et un autre sur le chemin des Poiriers (route 228) de l'autoroute 20. Il est très important de bien connaître ses territoires de chasse afin de bien localiser le Harfang des neiges, pour avoir le loisir de bien l'observer. Autre aspect non négligeable les buses, faucons et éperviers utilisent souvent les mêmes terrains de chasse que le Harfang des neiges.

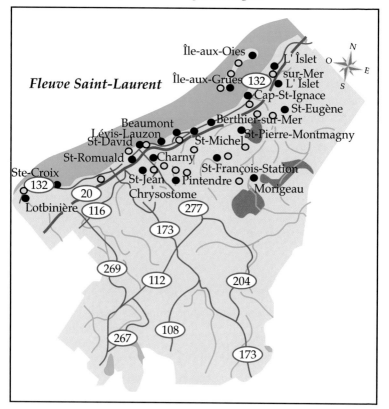

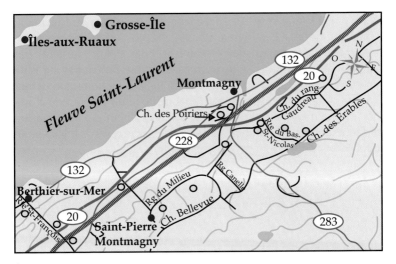

À surveiller : le Harfang des neiges chasse de l'islet à Berthier-sur-mer, le long des routes et du fleuve, ainsi que sur l'île-aux-Grues tout comme sur l'île-aux-Oies. Par contre, à partir du sud-ouest de Saint-Pierre-de-Montmagny, on l'observe surtout à l'intérieur des terres. Occasionnellement on le voit à Cap-Saint-Ignace. À l'islet c'est à l'entrée nord par la route 285 qu'il faut surveiller. Mais à Berthier-sur-Mer, c'est aux abords de la route 132 que l'on peut l'apercevoir.

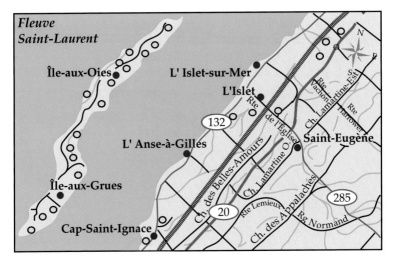

Note : le 21 janvier 2001, huit Harfangs des neiges se trouvaient entre Cap-St-Ignace et Rivière-Ouelle. De plus, en décembre 2001, lors du «Recensement des oiseaux de Noël» huit Harfangs des neiges chassaient sur l'Île-aux-Grues et encore huit autres sur l'Île-aux-Oies, la région est bel et bien une halte migratoire. De petites bandes chassaient ensemble au début de novembre pour une 2e année consécutive (en 2001). On a aussi aperçu cinq individus entre St-François et St-Pierre-de-Montmagny et quatre autres sur le chemin du Côteau, entre St-Pierre et Montmagny.

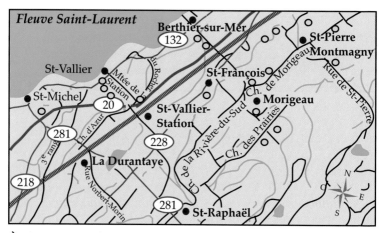

À surveiller : à Berthier-sur-Mer, il faut surveiller l'entrée ouest du village ainsi que la route 281 entre l'autoroute 20 et le village de Saint-Michel. Par contre à Saint-Vallier, il faut porter une attention particulière à la Montée-de-la-Station.

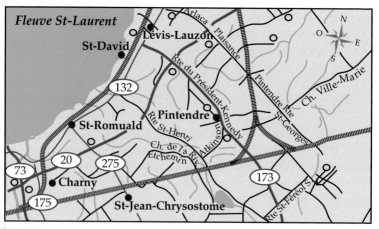

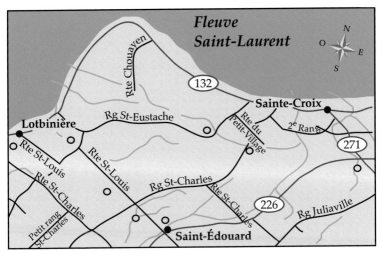

À surveiller : dans la région de Lévis, il faut patrouiller les champs sur le chemin Harlaca, la jonction de la route Président-Kennedy et l'autoroute 20. À Pintendre, c'est le chemin Atkinson qu'il faut surveiller. Finalement entre Lotbinière et Saint-Édouard il est bon d'observer plus particulièrement la route Saint-Louis et la jonction avec l'autoroute 20.

Note : dimanche le 9 décembre 2001, 22 Harfangs des neiges étaient dénombrés entre Lévis et Montmagny.

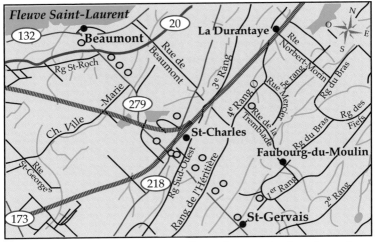

Note : lors de leur migration, en décembre 2001, plus d'une douzaine d'Harfangs des neiges ont été signalés dans les champs entre Beaumont et Saint-Gervais.

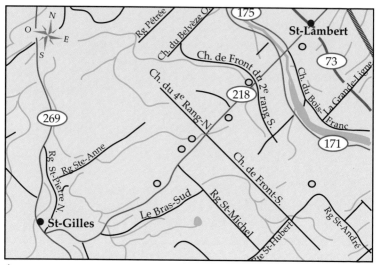

À surveiller : les abords de la route 218 entre St-Gilles et St-Lambert semblent un lieu de premier choix pour les Harfangs des neiges.

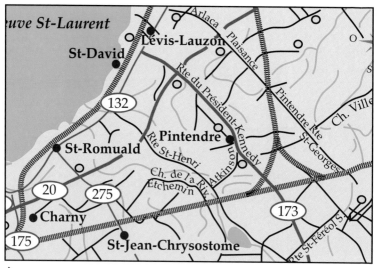

À surveiller : à Saint-Nicolas les Harfangs des neiges ont surtout l'habitude de fréquenter la route Germain située entre la route 132 et l'autoroute 20. À Bernières on les retrouve sur le chemin Filteau qu'il faut patrouiller minutieusement.

Note : le 21 janvier 2001 dix Harfangs des neiges ont été observés entre Saint-Henri et Montmagny.

La Mauricie est une très grande région touristique, mais seulement quelques Harfangs des neiges y ont été signalés près du Saint-Laurent. On les retrouve généralement à l'ouest de Maskinongé le long de la route 138. Dans le secteur de Yamachiche il faut surveiller la sortie 174 de l'autoroute 40. Tandis que pour le secteur de Trois-Rivières un harfang des neiges a déjà fréquenté la Place Alexandre pour quelques jours, ce qui est exceptionnel. Il y a aussi les champs près des piliers du pont Laviolette qui méritent votre attention. Presque tous les hivers un de ces strigidés blancs semble vouloir y hiverner. Ils aiment aussi les grands espaces agricoles près de la Rivière Batiscan.

Si l'on regarde la formation et composition géographiques de cette région, je suis certain que plusieurs autres Harfangs des neiges y sont présents. Par contre peu d'informations nous parviennent du territoire puisque peu d'observateurs d'oiseaux s'y aventurent.

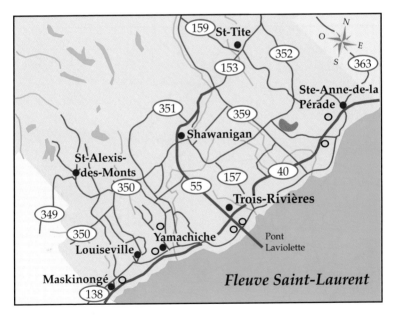

La région des Cantons-de-l'Est est une des belles régions du Québec. Elle est d'ailleurs reconnue pour sa très grande diversité aviaire. Les Harfangs des neiges y sont par contre rarissimes. En effet, peu d'entre eux semblent vouloir hiverner dans ce secteur. Les quelques Harfangs des neiges présents hivernent surtout à l'ouest de la région, tout près de la Montérégie, qui semble être pour eux un château fort. Ce qui est compréhensible du fait qu'ils préfèrent les terrains plats et en milieu agricole. Il ne faut pas oublier que ce sont surtout des chasseurs de souris et occasionnellement de quelques autres petits mammifères. Les handicaps de la région sont surtout les monts et collines qui diminuent leurs champs de chasse et permettent aussi l'accumulation d'importantes quantités de neige. Ces éléments jouent un rôle important dans leur choix de terrains propices pour se ravitailler. En résumé, ils préfèrent les terrains plats avec peu de neige et ce malgré leur titre de « Seigneur des neiges ».

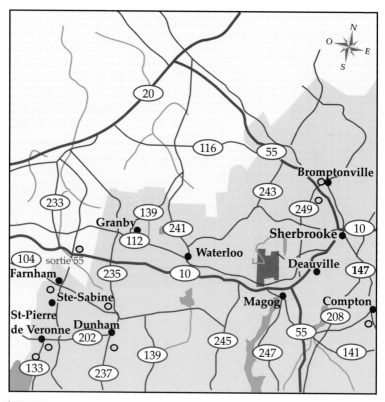

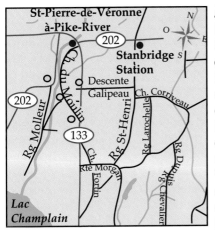

À surveiller : à Bromptonville il faut surveiller la sortie de l'autoroute 55 sur la route qui descend vers la ville. Pour Deauville je suggère de porter une attention particulière au chemin de Venise. À Farnham, la sortie 55 de l'autoroute 10 est un très bon endroit à explorer. Pour Saint-Pierre-de-Vérone-à-Pike-River, je vous suggère d'observer la jonction entre le chemin du Moulin et la route 133, près de la ferme Gagnon. Sainte-Sabine semble être le meilleur secteur pour observer cet oiseau, surtout sur les rangs Kempt et Édouard. Il ne faut pas négliger d'observer attentivement le 10e Rang et le rang du Lac en direction de Sainte-Sabine ainsi qu'en bordure de la route 202 à Dunham. **Note :** en décembre 2001, un Harfang des neiges était signalé régulièrement dans le secteur de Compton.

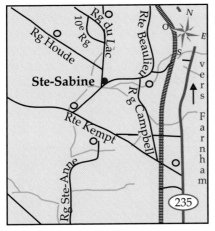

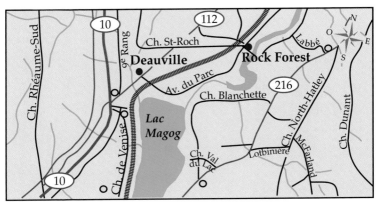

La Montérégie est une région très propice pour observer le Harfang des neiges que l'on retrouve plus particulièrement de l'ouest a l'est de ce territoire. Par contre, ils sont peu recensés à l'extrême sud. Si on compare les territoires de chasse de cette région avec ceux de la région de Lanaudière et Chaudière-Appalaches, plusieurs points communs sont a noter : il s'agit de milieux agricoles, de terres en friche, de terrains plats à perte de vue, où l'on ne retrouve que peu d'accumulation de neige. On y détecte par contre beaucoup de culture de maïs et de céréales, dont sont friants les Campagnols. Autre fait intéressant : les Harfangs des neiges de la Montérégie font leur apparition dans les heures ou les jours suivants leur passage dans la région de Chaudière-Appalaches, précédés par un arrêt au Saguenay-Lac-Saint-Jean. En se basant sur les informations recueillies sur internet, il semble que le couloir migratoire débute au Saguenay-Lac-Saint-Jean, traverse la région de Québec et celle de Chaudière-Appalaches, pour ensuite se diviser en deux bandes ; une qui hiverne dans la Montérégie et l'autre dans la région de Lanaudière. Comme à chaque endroit où ils passent, un certain nombre de Harfangs des neiges installent leur quartier d'hiver, ce qui permet de déduire que la population de Harfangs des neiges est assez importante dans ces secteurs.

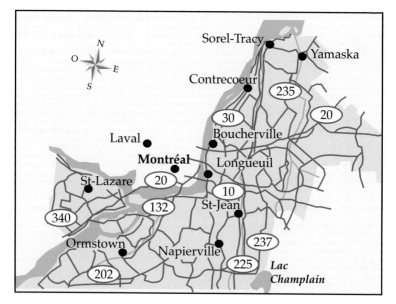

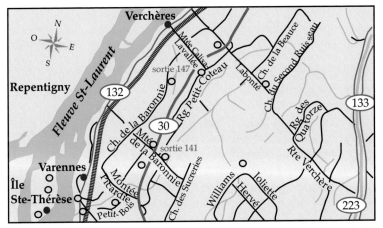

À surveiller : à Varennes, il faut débuter les recherches à partir de la sortie 141 de l'autoroute 30 et poursuivre sur les chemins du Petit-Bois, du Lac, Pays-Brûlés, et de la Côte-d'en-Haut. Ici il ne faut pas oublier de scruter les rives des Îles dont l'Île-aux-Fermiers et Sainte-Thérèse qui sont d'excellents territoires de chasse. Par la suite dirigez-vous vers le chemin et la montée de la Baronnie. À Verchères observez particulièrement les sorties 147 et 149 de l'autoroute 30.

Note : Pour l'Île-Ste-Thérèse, jetez un coup d'œil à partir de Pointe-aux-Trembles (Montréal).

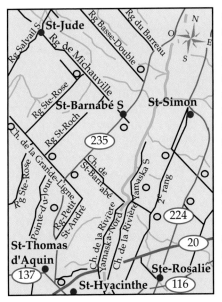

À surveiller : prendre la sortie 130 et débuter par la région de Saint-Barnabé-Sud ; les rang Basse-Double et du-Barreau ainsi que le chemin de la Grande-Ligne et la route 235 sont à parcourir. Puis, rendez-vous au chemin de la Rivière Yamaska-Sud, et reprenez l'autoroute 20. Prenez ensuite la sortie 133, direction Saint-Simon-de-Bagot. N'oubliez pas de faire un détour par les rangs 2 et 3 et revenez finalement par le 3e rang, soit la route 224.

Note : dans ce territoire un ou deux Harfangs des neiges sont souvent signalés, mais rarement au même endroit quisqu'ils se déplacent continuellement.

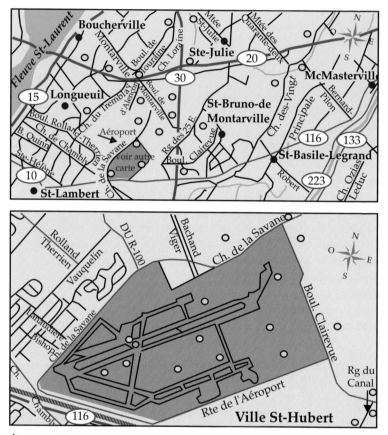

À surveiller : Boucherville et Saint-Hubert sont des territoires interessants pour leurs grands espaces où les Harfangs des neiges aiment se nourrir de souris. Les chemins de Lorraine, d'Alençon, de la Savane ainsi que les boulevards avoisinants sont à scruter avec soin. Il ne faut pas oublier d'observer les champs de maïs à Saint-Bruno et à Beloeil où ces oiseaux sont encore omniprésents. À Sainte-Julie il faut explorer la montée et le chemin du même nom. **Note :** même les années où peu de Harfangs des neiges migrent dans la région pour l'hiver, l'endroit reste de choix. Le secteur est aussi connu pour les nombreux rapaces qui font le guet dans les champs avoisinants.

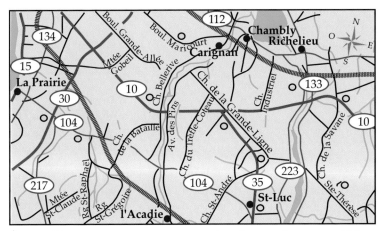

À surveiller : à Saint-Damase ce sont les champs de maïs qu'il faut scruter. À Sainte-Madeleine, jusqu'à trois Harfangs des neiges furent observés à une occasion sur le rang Argenteuil entre les routes 227 et 231. Il ne faut pas omettre d'explorer la région de Saint-Pie-de-Bagot, particulièrement le rang Saint-François et la rue Michon. À Saint-Hyacinthe, l'autoroute 20 et la route 116 sont des lieux de choix pour l'observation du Harfang des neiges. Enfin, à Chambly, il faut scruter les îles derrière le fort.

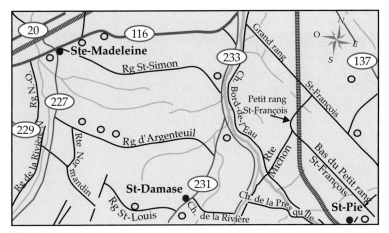

À surveiller : les autoroutes de ce secteur semblent retenir leur attention, puisqu'elles attirent aussi les petits rongeurs qui constituent un bonne partie de leur régime alimentaire.

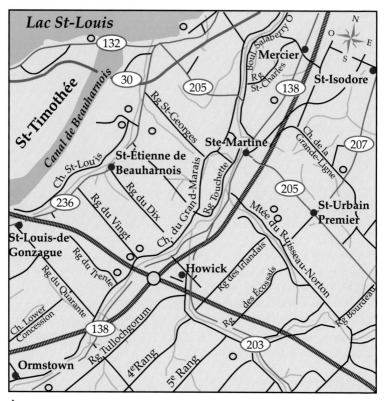

À surveiller : de nombreuses terres en friche attirent le Harfang des neiges dans ce territoire habité aussi par les Campagnols. Débuter votre excursion par Mercier est une bonne initiative. Les nombreux champs de chaque côté de la route 138 offrent des endroits de choix. Rendu à Sainte-Martine, faites un petit détour sur le chemin de la rivière des Fèves-Nord. À Ormstown, revenez vers Howick pour traverser la rivière Châteauguay. Entre le chemin de la rivière Châteauguay et la route 236, il faut circuler sur les rangs perpendiculaires, soit les rangs 10, 20, 30 et 40 et continuer jusqu'à Châteauguay pour revenir par la route 132 en faisant un détour au bout de la rue MacDonald, à Maple Grove. Par la suite, reprenez la route 132 en direction de Saint-Timothée.

Note : pour la région de Saint-Timothée il y a peu d'information sur la présence du Harfang des neiges. Par contre, si vous jetez un coup d'oeil aux alentours des fermes et terres en friche peut-être en verrez-vous un.

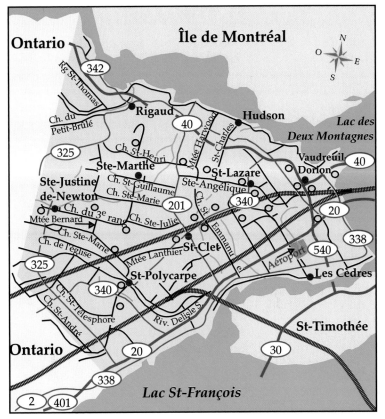

À surveiller : pour terminer avec la région, de la Montérégie, nous voici au sud-ouest du territoire, le plus propice, mais probablement le plus négligé. Comme convenu, les icônes n'indiquent pas nécessairement le Harfang des neiges même, mais plutôt son territoire de chasses dont : Vaudreuil, Dorion, Les Cèdres, Saint-Clet, Sainte-Justine-de-Newton etc. Les Harfangs des neiges sont susceptibles d'être observés partout où la végétation est abondante. Comme plusieurs routes et autoroutes se croisent, et que le sel y est souvent trop généreusement répandu, leurs accotements en regorgent et attirent de nombreux rongeurs, et par le fait même , le Harfang des neiges. Ce qu'il faut surveiller, ce sont les lampadaires, les piquets de clôtures et les toits des bâtiments des fermes.

Cette région est aussi reconnue pour acceuillir de nombreux Harfangs des neiges. C'est un milieu rural avec de nombreuses fermes agricoles, idéal pour le ravitaillement des souris Campagnols. Comme dans plusieurs autres régions touristiques, c'est la partie plane qui les attire et plus particulièrement, les plaines près du fleuve. Entre Saint-Cuthbert et Saint-Barthélémy il faut scruter les champs un par un sans négliger les lampadaires, les piquets de clôtures et les toîts des bâtiments des fermes.

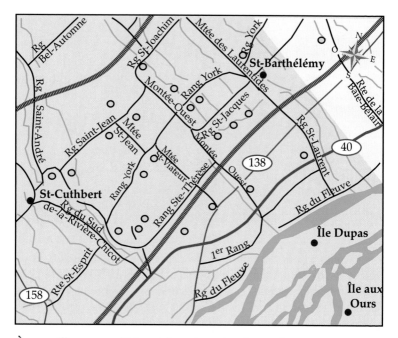

À surveiller : ce qu'il faut faire, c'est circuler sur les rangs, montées et chemins divers. Pour débuter, je suggère le Rang Sainte-Thérèse. Tournez ensuite sur la Montée des Laurentides jusqu'au Rang Saint-Joachim. Par la suite continuez sur la côte Joly et tournez à gauche sur le rang York. N'oubliez surtout pas la Montée Ouest et les rangs Saint-Jacques et Saint-Jean.

Notes : malgré la date tardive du 1er mars 2002, et lors d'une seule journée d'observation, plus d'une quinzaine de Harfangs des neiges étaient encore présents dans ce territoire pourtant assez restreint.

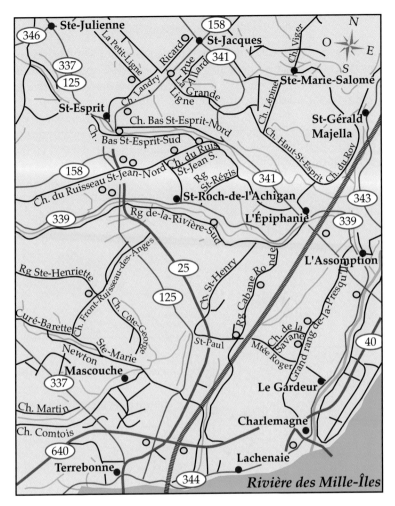

À surveiller : pour cette deuxième section agricole, il faut prévoir quelques heures et s'attendre à parcourir plusieurs kilomètres, car le territoire à explorer est grand.

Note : sur cette carte, plus d'une quinzaine de territoires de chasse sont indiqués. Par contre, il n'y a que cinq ou six Harfangs des neiges qui se partagent les lieux et se déplacent continuellement dans la zone, contrairement à ceux de la région de Saint-Barthélémy-Saint-Cuthbert qui sont moins mobiles. L'abondance de souris Campagnols pourrait influencer leur comportement.

C'est plutôt dans les Basses-Laurentides qu'on retrouve les Harfangs des neiges. En effet, seulement quelques-uns fréquentent le secteur de Mirabel et son aéroport. Il ne faut pas oublier que nous sommes au pied des Laurentides.

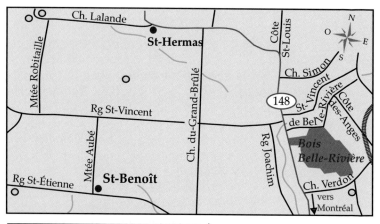

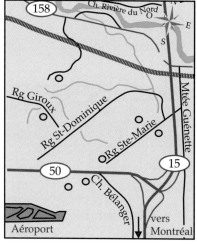

À surveiller : comme pour les trajets précédents, ce sont les milieux agricoles que les Harfangs des neiges fréquentent le plus. Si on regarde dans les secteurs de Saint-Hermas, Saint-Benoît, Sainte-Scholastique et Saint-Augustin, leurs terrains de chasse sont assez restreints et il faut réellement patrouiller tous les rangs, un par un pour les apercevoir. Cependant, le long de l'autoroute 50 entre l'aéroport de Mirabel et l'autoroute 15, ils sont davantage présents.

Note : Pour les abords de l'autoroute 50, le nombre de Harfangs des neiges se limite probablement à deux ou trois seulement. Il ne faut pas oublier que cet oiseau est assez territorial et solitaire. Par contre, il est arrivé que deux de ces oiseaux aient été signalés en même temps et au même endroit, mais rarement trois.

Pour la région métropolitaine ou simplement l'île de Montréal, il arrive que l'on puisse observer le passage de quelques Harfangs des neiges. Toutefois, ces derniers ne s'attardent pas trop dans la région, ce qui est chose compréhensible. En 2001 et 2002 certains Harfangs des neiges ont été signalés. Ils n'ont cependant pas adoptés l'endroit à cause des voitures et du peu de sécurité et de discrétion que leur procure la région métropolitaine.

Nous avons répertorié le 7 février 2001 un Harfang des neiges juché sur l'antenne de l'hôpital Louis-H.-Lafontaine. Puis le 4 mars, un second était signalé sur une banquise au parc Summerlea (arrondissement Lachine). Le 16 mars, un autre était rapporté sur une autre banquise au parc Pine Beach (arrondissement de Dorval). Le 14 décembre un Harfang des neiges a passé la journée à l'angle de la Place Chassé et la rue Molson alors qu'il chassait sur les terrains Angus. Le 21 décembre, un mâle fut aperçu sur un lampadaire du boulevard Saint-Jean-Baptiste près de René-Lévesque (arrondissement Pointe-aux-Trembles). Le 26 décembre, on a observé un immature au parc Olympique. L'oiseau était posé sur la rampe de ciment de la dalle de la promenade du côté Pierre-de-Coubertin. Finalement le 27 décembre, on a observé un Harfang des neiges sur un lampadaire de l'autoroute Métropolitaine à Anjou et un autre le 28 février 2002, aperçu lui aussi sur un lampadaire au milieu de l'autoroute 13, au niveau de l'aéroport de Dorval.

Photo : Diane Labonté

Harfang des neiges en vol

Photo : Diane Labonté

Harfang des neiges en vol

Région de l'Outaouais

Ici, nous sommes probablement à la limite ouest de sa migration hivernale. La présence de quelques Harfangs des neiges est inusitée et rare. Pour l'hiver 2001-2002, seulement quatre d'entre eux sont signalés, mais il est à noter que ce recensement n'est pas exhaustif et que certains n'ont simplement pas été répertoriés ou signalés. Donc, aucun vrai territoire de chasse officiel n'est connu. En résumé, les Harfangs des neiges semblent préférer les basses terres près du Saint-Laurent.

Voici d'ailleurs les quelques observations répertoriées pour la région : en décembre 2001, un Harfang des neiges a fréquenté pour quelques jours un lampadaire à la jonction de l'autoroute 50 et du boulevard Archambault à Gatineau. Toujours à Gatineau, un autre a été observé sur les abords du chemin des Terres, à l'angle Nord-Ouest de la Montée Paiement et de l'autoroute 50, à Gatineau. Dans la ville de Hull, au début de décembre, un Harfang des neiges s'est posé sur l'édifice du gouvernement à la Place Portage. Un autre a aussi été aperçu faisant la navette entre Goldwin et Ruthledge. Leur présence est donc très limitée dans cette région.

En Abitibi, peu de Harfangs des neiges ont été signalés. Probablement à cause de la neige abondante et de son rude climat. Si l'on compare la température estivale de leurs lieux de reproduction et la température boréale de l'Abitibi, ils préfèrent adopter les basses plaines du Saint-Laurent. Les rares Harfangs des neiges signalés pour l'hiver 2001-2002 l'ont été entre autres à Rouyn-Noranda où l'un d'entre eux chassait près de la Maison Québécor au centre-ville, en décembre 2001. À La Sarre, un autre a été signalé sur le rang 10-1, un second sur la route 111 près du lac Macamic et un troisième s'est aussi présenté à Lorrainville sur le Rang 5. Il a aussi visité le village de Masson, sur la route 148 près de la rue McLaren. Vu le peu de Harfangs des neiges observés dans cette région, il est impossible de déterminer leurs sites de chasse préférés puisqu'ils n'y font que de brèves visites.

Photo : Diane Labonté

Loin des basses plaines du Saint-Laurent, les Harfangs des neiges sont nombreux dans la région du Saguenay-Lac-Saint-Jean. De la fin novembre au début décembre, ils y sont omniprésents. C'est aussi là, au Saguenay, que débute leur migration. Les premiers Harfangs des neiges hors de leur aire de nidification sont observés tôt. Il est fort possible que leur secteur serve de tremplin pour ensuite faire un deuxième arrêt dans la région de Chaudière-Appalaches pour ensuite se disperser. Au printemps, c'est l'inverse : le Saguenay jouit donc de leur présence pour quelques jours de plus que les autres régions.

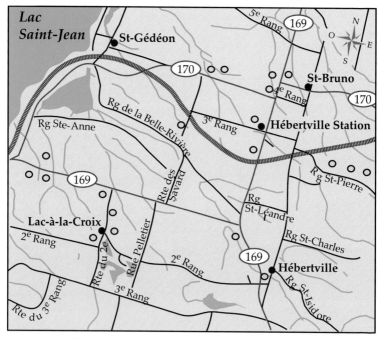

Note : au début de leur arrivée ils sont semi-grégaires. Ils se regroupent par petites bandes de cinq à dix oiseaux mais sur une grande étendue, soit entre 4 et 5 kilomètres carrés. Le même phénomène se reproduit avant leur grand départ boréal. Dans les autres régions, ce grégarisme est plus inusité sauf à leur arrivée. le Harfang des neiges étant un prédateur, il est normal qu'il préfère contrôler son territoire et esquiver toute compétition ou confrontation.

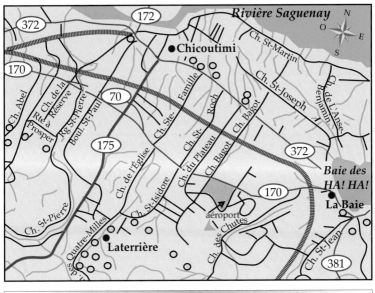

RÉGION DE LAVAL

À Laval, seulement deux secteurs sont fréquentés par les Harfangs des neiges. On en retrouve qu'un ou deux par secteur car ils sont très mobiles. Toutefois, ils reviennent assidûment année après année.

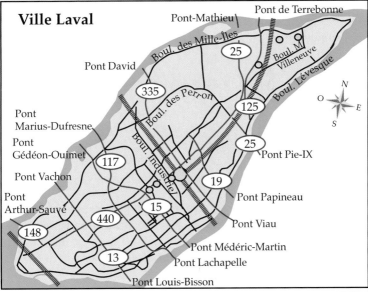

Surtout reconnue comme une halte migratoire, à cause de la popularité de Baie-du-Febvre et de ses Oies des neiges, cette région est aussi l'hôte de nombreux Harfangs des neiges. Comme cette zone est agricole, les nombreuses souris de ces lieux deviennent une bonne source d'alimentation pour notre emblème aviaire.

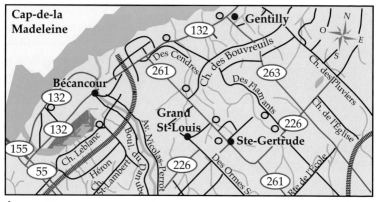

À surveiller : à Bécancour, le centre portuaire du parc industriel ainsi que la réserve écologique Léon-Provancher sont souvent en hiver, les hôtes d'un Harfang des neiges. À Gentilly, On les retrouvent à la centrale nucléaire, près du fleuve. Les bordures des routes 261 et 226 près de Sainte-Gertrude se doivent d'être patrouillées.

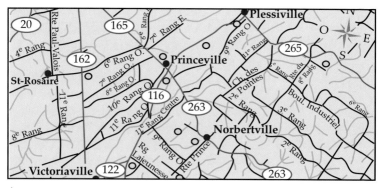

À surveiller : comme sur les cartes précédentes, on retrouve les Harfangs des neiges sur leurs territoires de chasse ; soit dans les milieux agricoles. Il faut donc parcourir systématiquement le terrain, rang par rang.

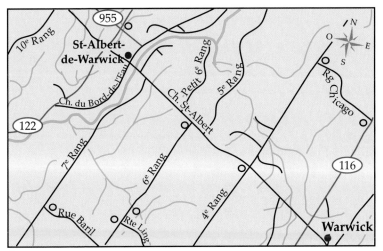

À surveiller : ici particulièrment, ce sont sur les rangs entre Saint-Albert et Warwick que se trouvent les meilleurs endroits de chasse pour le Harfang des neiges.

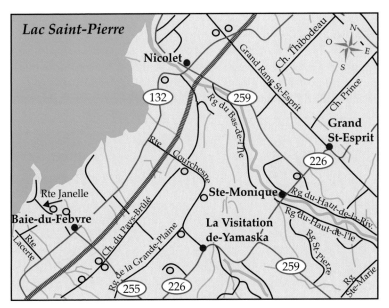

À surveiller : à Baie-du-Febvre, Nicolet et Nicolet-Sud, tous les rangs méritent d'être patrouillés. Au printemps plusieurs Harfangs des neiges s'y attardent certainement dû à l'abondance de nourriture.

ODE AU HARFANG DES NEIGES

Provenant du glacial holarctique,
l'immense et rude palais arctique,
là où se fait court graduellement le jour
quand la nuit boréale refroidit à son tour,
le nyctea scandiaca arrive, solitaire,
sur un site désertique, choix de son aire.

Ici à Saint-Hubert, il privilégie l'aéroport,
pouvant y atterrir sans nul autre effort
et décoller à son aise en toutes directions,
à partir des herbes courtes ou du béton.

Région apparentée à son lieu de nidification,
le strigidé vient y hiverner avec prédilection,
un milieu plat, dénudé et sans reliefs spécifiques,
de rares arbres en plus des structures métalliques.

Nullement dérangé par un aéronef en mouvement,
par un véhicule d'entretien ou une manche à vent,
le bruit d'une turbine ne semble pas l'importuner,
occupé qu'il est, le hibou à micro-aigrettes, à scruter.

À la mi-novembre, en l'absence d'intempéries,
dans la végétation cuivrée aux mottes durcies,
les abris se font rares mais les proies abondent.
Mulots et souris, hors des tunnels, se montrent.

Quand, par surcroît, la nourriture de choix foisonne,
à proximité, alors, un autre individu se positionne.
Plumage immaculé d'un petit mâle du côté de la tour,
mouchetures foncées d'un immature au prochain détour.

Perché bas, du coin d'une vieille grange abandonnée,
et fixant, yeux jaunes envoûtants, une proie enviée,
dans un long vol plané onduleux il s'élance vers la cible
et assène, de ses griffes acérées, le coup infaillible.

À partir de décembre, une fois la neige bien étalée,
déplacé par la furie d'une bourrasque déchaînée,
affrontant la pluie, le verglas ou le brouillard,
il devra se faire de plus en plus débrouillard.
Vivre dans la froidure et survivre à l'hiver, il sait le faire.
Voici le Harfang des neiges, notre emblème aviaire.

Raymond Belhumeur
Saint-Hubert, Qc

Visites sur internet

Tout comme pour le livre précédent, quelques visites sur internet vous sont suggérées. Les 230 sites qui suivent vous sont présentés sous trois thèmes ;

  • **Les mangeoires:** ces sites deviennent donc incontournables du fait que c'est un des deux principaux sujets du livre.

  • **Les Harfangs des neiges:** une cinquantaine de sites proposés sont à découvrir.

  • Pour **cette section**, c'est plutôt un méli-mélo d'adresses découvertes et / ou corrigées depuis la parution du livre précédant « Petit répertoire ornithologique du Québec ».

Note : Tout va en accéléré sur internet, il n'est donc pas surprenant qu'entre le dépôt du manuscrit chez l'éditeur et la parution du livre, quelques sites aient déjà déménagé et que de nouveaux soient nés, situation donc incontrôlable.

LES OISEAUX AUX MANGEOIRES

QUELQUES CONSEILS
Favoriser la présence des oiseaux :
http://www.infoardenne.com/meilleurs/nature/oiseaux01.html
Le nourrissage hivernal :
http://membres.lycos.fr/softbyte/mangeoires/nourriture.htm
Le nourrissage hivernal (bis) : http://perso.club-internet.fr/-fdesjard/le_nourrissage_hivernal.htm
Sanctuaires des oiseaux (F.F.Q.) :
http://lesbeauxjardins.com/oiseaux/oiseaux.htm
Les Oiseaux de mon Patelin :
http://www.9bit.qc.ca/~patelin/mangeoires.htm
L'oiseau libre : http://oiseaulibre.free.fr/-Refuge/Alimentation/Mangeoires.html
Centre agréé de Revalidation pour la Faune Sauvage :
http://users.swing.be/birdsbay/page2.html

Les sites inscrits en italique ne sont pas en langue française.

Froufrou d'ailes et gazouillis :
http://www.iq.ca/lys/2mangeoires.html
Recettes pour les pics :
http://membres.lycos.fr/picmineur/Picmineur.htm
Le Geai bleu : http://www.csbe.qc.ca/aquarelle/Geai.htm

QUELQUES MODÈLES DE MANGEOIRES
Modèles de mangeoires - René Fortin :
http://planete.qc.ca/menard/fortin1.html
Photos et idées : http://www.ecole-
leon.qc.ca/html/mangeoire_d_oiseaux.htm
Modèles de Carole Gauron :
http://collections.ic.gc.ca/waic/cagaur/cagaur15_f.htm
Froufrou d'ailes et Gazouillis - Plans de mangeoires :
http://www.iq.ca/lys/plan_mangeoires.html
Modèles de mangeoires à construire :
http://www.oiseauclubpontivy.net/protection/mangeoir.htm
Bains d'oiseaux : http://lesbeauxjardins.com/-
amenagement/aquatique/types/bain.htm

PRÉVENTION ET MALADIES
Les dangers du refuge :
http://oiseaulibre.free.fr/Refuge/Dangers.html
Ils sont malades : http://perso.wanadoo.fr/piafs/malades.htm
Maladies chez les oiseaux : http://birds.cornell.edu/pfw_-
fr/AboutBirdsandFeeding/DiseasedBirds.htm
**Le Centre québécois sur la santé des animaux sauvages
(CQSAS) - virus du Nil :** http://www.medvet.umontreal.ca/-
cqsas/derniere_heure.htm
Dissuadeur de parasites : http://www.petsafe.net/pdf/ssm.pdf

SCIENCE
Quand la vie ne tient qu'à l'hypothermie :
http://www.acfas.ca/concours/eureka98/hypothermie.html

PRÉSENCES AUX MANGEOIRES
Les oiseaux qui fréquentent les mangeoires :
http://oiseauxaujardin.com/oiseauxdemangeoires.htm

ARTICLES ET NOUVELLES

La Presse - Pierre Gingras : http://www.cyberpresse.ca/-
reseau/hobbies/0201/hob_102010058048.html

Le concert des oiseaux - Jacques Drapeau : http://www.-
lesoleil.com/documents2/ans2000/ans200045.stm

Le bulletin des agriculteurs - la salmonellose :
http://www.lebulletin.com/actualite/0005/000515d.cfm

Vandalisme aux mangeoires d'Aylmer :
http://www.ncf.carleton.ca/coo/Faitdhiver.html

Franc-Vert - L'hiver triste des tourterelles :
http://uqcn.qc.ca/franc-vert/num/v13n06/tourte.htm

Les oiseaux et la loi à Ville Saint-Laurent :
http://er.uqam.ca/nobel/c3410/Banville18.html

PHOTOS AUX MANGEOIRES

Fleurs, musique, oiseaux : http://www.jaseur.com/mesanges.htm

Les oiseaux dans ma cour - Doreen Hugues :
http://site.ifrance.com/Gali/Lesoiseaux.html

LE COIN DE LA RELÈVE

Recyclage - bricolage d'une mangeoire :
http://chezlorry.ca/Bricolages/Recycle/Mangeoire.htm

Se construire une mangeoire - Karine Durette :
http://providence.csdhr.qc.ca/2000-2001/oiseauxhiver.htm

Projet - Une mangeoire d'oiseaux :
http://www.complicesplus.com/mangeoire.html

Le sentier des mangeoires : http://www.stgeorges.qc.ca/
subjectlinks/webtree/newsign/sentier.htm

Une sittelle, un oiseau acrobate : http://www.lesde
brouillards.qc.ca/AfficheTexte/long.asp?DevID=955

Histoire photo d'un Oriole à ailes blanches :
http://www.cnpa.ca/oriole1.htm

Projet pédagogique : http://www.csportneuf.qc.ca/-
sed/pedagogie/scenarios/oiseaux/tsld010.htm

Histoire - Un pic pas piqué des vers :
http://www.geocities.com/Athens/Crete/2312/oeuf.htm

LE HARFANG DES NEIGES

PRÉSENTATION

Présentation du Harfang : http://www.tc.gc.ca/aviation/-aerodrme/birdstke/manual/l/l4-25-f.htm

http://www.nature.ca/notebooks/francais/harfang.htm

http://www.geocities.com/RainForest/1735/harfang.html

http://www.gouv.qc.ca/Informations/Emblemes/Emblemes_fr.html

http://www.csdm.qc.ca/st-donat/5a_harfan.htm

http://members.aol.com/filb41/harfang.htm

http://www.snqc.qc.ca/le_site/05_fetenationale/divers_documents/divers_documents/symboles_qui_nous_identifient.htm

http://www.tctrail.ca/pdf/Trail%20Signs2.pdf

Protection de la nature : http://europa.eu.int/comm/-environment/nature/directive/nyctea_scandiaca_fr.htm

Emblème aviaire du Québec :

http://www.fapaq.gouv.qc.ca/fr/faune/harfang.pdf

http://www.florelou.com/quebec.html

http://www.mef.qc.ca/embleme-aviaire.htm

http://lexpresso.free.fr/article.php3?id_article=53

SCIENCE

Environnement Canada : http://www.epmuraz.vsnet.ch/3P-2eme_volee/o_harfang__des__neiges.htm

http://www.cws-scf.ec.gc.ca/hww-fap/owl/harfang.html

Morphologie du harfang - Cyber-Zoo : http://darwin.-cyberscol.qc.ca/Expo/Zoo/Fiches/harfang.html

http://ecoroute.uqcn.qc.ca/envir/faune/harfang.htm

http://iquebec.ifrance.com/zoovirtuel/page5ma.html

http://members.aol.com/filb41/harfang.htm

ARTICLES ET NOUVELLES

La Presse - Pierre Gingras : http://www.cyberpresse.ca/-reseau/hobbies/0112/hob_101120047839.html

Sous l'aile du Harfang : http://www.ulaval.ca/scom/-Au.fil.des.evenements/1997/12.04/harfang.html

Harfang des neiges en Belgique et aux Pays-Bas : http://www.ornithomedia.com/magazine/mag_art23_1.htm

ART - PHOTOS

Diane Castenet :

http://www.diaph.org/galerie/faune/harfang.htm

Les rapaces - l'espace Rambouillet : http://tizours.free.-fr/montagne/sciences/rapaces/acrapaces.htm
Divers :
http://www.crcp.nb.ca/cpnb/tourisme/pict/harfang1.jpg

ART - PEINTURE
Peinture de Michel Souligny : http://www.bibliotheque.lac-megantic.qc.ca/OeuvresDArt/SoulignyMichel.html

ART - SCULPTURE
Linda Shaw : http://www.reactionpromotions.com/-qmifr/html/snow_owl.html

ART - MOSAÏCULTURE
Mosaïculture : http://sciencex.tzo.com/mosaharfang.htm

LE COIN DE LA RELÈVE
Présentation : http://www.scedu.umontreal.ca:2040/jesimard/-fv_travaux/ETA1700t-H2000/Animours/pages/harfang.htm
http://perso.wanadoo.fr/lece1laclasse/anifroid/arcchou/chou.html
Où trouve-t-on le Harfang des neiges: http://www.radio-canada.ca/jeunesse/betes/express/oiseau/harfang.htm
http://www.chez.com/alain/harfangdesneiges.htm
Fiche technique : http://www.cssh.qc.ca/ecoles/st-jean-baptiste/-marcelle/marcelle0001/harfangs.htm
http://pages.infinit.net/mauber/harfang.html
Les grosses chouettes :
http://members.tripod.com/pygarque/grossechouette.html
Froufrou d'ailes et Gazouillis :
http://www.iq.ca/lys/sorties1.html
Les aventures de Rafale : http://www.menv.gouv.qc.ca/-jeunesse/chronique/2001/0106_embleme.htm
Vu par Kevin Wylie (8 ans) :
http://www.lescale.net/quebnat/fich0020.html
Vu par Corbin Gale (7 ans) :
http://www.lescale.net/quebnat/fich0030.html
Vu par Annie Ribeiro :
http://www.chez.com/chouettemag/harfang.html
Bonne fête Québec:
http://www.finfond.net/image/f158/f158set.htm
Lecture : http://club-culture.com/lecture/harfa.htm

Timbres de la F.F.Q. :
http://www.fondationdelafaune.qc.ca/html/1997.html
Rapaphila :
http://www.rapaphila.com/timbrespays.php?pays=Hongrie

MÉLI-MÉLO

À SAVOIR

Convention concernant les oiseaux migrateurs, loi 1994 :
http://lois.justice.gc.ca/fr/M-7.01/
http://www.canlii.org/ca/regl/crc1036/partie40523.html
Règlement sur les refuges d'oiseaux migrateurs :
http://lois.justice.gc.ca/fr/M-7.01/C.R.C.-ch.1036/texte.html
Refuges des oiseaux migrateurs :
http://lavoieverte.qc.ec.gc.ca/faune/faune/html/rom.html
Liste mondiale des oiseaux :
http://www.printablebirdchecklists.homestead.com/Alphalist.html
http://www.mumm.ac.be/~serge/birds/home_fr.html
American ornithologists' Union :
http://www.aou.org/aou/birdlist.html#LCICO
Changement dans la nomenclature :
http://www.lauraerickson.com/Birds/AOUChecklist.html

POUR UNE RECHERCHE
The Birds of North America : http://www.birdsofna.org/

SCIENCE
Plumages et mues : http://www.ofo.ca/plumages.htm
Les ailes:
http://www.ups.edu/biology/museum/wingphotos.html
Migration-identification la nuit :
http://www.oldbird.org/index.htm
Taxonomie : http://members.aol.com/ringedkingfisher/AOUe.htm
http://www.ncbi.nlm.nih.gov/htbin-post/Taxonomy/wgetorg
Détails sur le baguage :
http://www.westol.com/~banding/index.htm
Pinson des arbres - des dialectes qui diffèrent :
www.inra.fr/Internet/Produits/dpenv/joachc27.htm
L'intelligence des oiseaux :
http://www.pbs.org/lifeofbirds/brain/index.html

Comportements alimentaires inusités :
http://ww2.mcgill.ca/biology/faculty/lefebvre
Recherche sur les Hiboux grands-ducs :
http://www.fr.ch/mhn/bubo/default.htm

De tout sur les œufs :
http://www.virtualmuseum.ca/Exhibitions/Birds/-
PMA/vexhome/men2.htm
http://www.chias.org/biology/oolo.html
http://www.virtualmuseum.ca/Exhibitions/Birds/PMA/vexhome/ool
ogy.htm
http://www.npwrc.usgs.gov/resource/2000/oolog/intro.htm
http://www.austmus.gov.au/birds/collections/curates_egg.htm

RÉSULTAT DIVERS
Compte rendu sur les rapaces
http://listserv.arizona.edu/archives/birdhawk.html
Oies des neiges baguées au Québec :
http://www.geocities.com/oiesbaguees
Sur le bagage : http://www.westol.com/~banding/-
Fall_2002_Banding_Totals.htm
Logiciel pour prendre vos propres donnés :
http://homepage.mac.com/wings_4d/

CONSERVATION ET ENVIRONNEMENT
Zones importantes pour la conservation des oiseaux au Canada :
http://www.ibacanada.com/
http://ecoroute.uqcn.qc.ca/zico
Protection des albatros, pétrels...: http://www.news-
presspro.com/aff_comm.php?communique=FR119696
les éoliennes et les oiseaux : http://perso.wanadoo.fr/-
abies.be/Suivi%20PlN%201997.pdf
http://perso.wanadoo.fr/abies.be/Suivi%20PlN%201997.pdf
Conserve Wildlife:
http://home.midsouth.rr.com/conservewildlife/index.htm

ATTENTION DANGER
La Grive des bois menacée :
http://news.bbc.co.uk/2/hi/science/nature/2189151.stm
Angleterre-Moineaux et Étourneaux :
http://news.bbc.co.uk/2/hi/uk_news/england/2197499.stm

Le Virus du Nil : http://www.pasteur.fr/-
actu/presse/documentation/westnile.html
http://www.cybersciences.com/Cyber/3.0/N2895.asp
http://www.pasteur.fr/actu/presse/com/dossiers/genomics/gendeng.
html
http://wildlife.usask.ca/westnilealerthtml/westnilealertoiseauxpage
.htm#want
www.lemonde.fr/article/0,5987,3244--288339-,00.html
Bientôt un vaccin contre le virus du Nil Occidental :
http://permanent.sciencesetavenir.com/sci_20020925.OBS0521.ht
ml
91 espèces disparues :
http://www.geocities.com/carmelbird/birds/

Complément d'informations sur des oiseaux
Cygne trompette : http://fog.ccsf.cc.ca.us/~jmorlan/trswid.htm
http://www.taiga.net/swans/swanid.html
Les cygnes : http://birds.cornell.edu/crows/SwanID.htm
Canard siffleur : http://www.islandnet.com/~mgs/birds/-
EurasianWigeon.html
http://www.islandnet.com/~mgs/birds/EUWI_migrate.html
Les oies diverses : http://www.saka-consul.com/-
Nature/wbirds/duck/swangoo.html
http://www.goose.org/species/anser/
http://www.feathersite.com/Poultry/NDG/Geese/SwanGoose/BRKS
wanG.html
Les limicoles :
http://mrw.wallonie.be/dgrne/ong/refuges/Limicoles.htm
Grand Gravelot : http://www.bmarket.freeserve.co.uk/-
research/Ringed%20Plover/ringedplover.htm
http://www.enature.com/fieldguide/showSpecies_LI.asp?imageID=
17102
http://web.jet.es/sgosgo/avesdegalicia/fotos/limicolas/chahia.html#
http://www.geocities.com/ivn_vogels_niet_vechtstreek/Bontbekple
vier_Charadrius-hiaticula.html
http://membres.lycos.fr/digimages/gragra/gragra.htm
http://www.univ-lehavre.fr/cybernat/pages/cuicui.htm
Historique de tourterelles : http://perso.wanadoo.fr/oiseau.-
club.heraultais/rieusehistorique.htm
Les Géopilies :
http://www.dovepage.com/species/exotic/zebradove.html

Tourterelle turque :
http://www.wbu.com/chipperwoods/photos/eudove.htm
Tourterelle triste de couleur chocolat
http://www.sabo.org/sightings/melmodo.html
Chevêche des terriers :
http://www.naturephotographers.net/cg0502-1.html
Grive de Bicknell : http://radio-canada.ca/actualite/semaineverte/-
ColorSection/fauneFlore/021006/grive.shtml
Merle d'Amérique :
http://www.mbr-pwrc.usgs.gov/lnfocenter/i7610id.html
Le Colibri à gorge rubis - Environnement Canada :
http://www.cws-scf.ec.gc.ca/hww-fap/rthumm/cgr.html
Le plus petit oiseau au monde - Colibri-abeille :
http://www.montnorail.com/colibri-abeille.htm
Le Colibri à gorge rouge
http://www.nature.ca/notebooks/francais/colibri.htm
Le monde fascinant des oiseaux-mouches :
http://www.coq.qc.ca/info_oiseaux/colibri.htm
Cri du Colibri roux : http://rbcm1.rbcm.gov.bc.ca/-
nh_papers/gracebell/french/call_hum.html
Corbeau calédonien :
http://news.bbc.co.uk/2/hi/science/nature/2178920.stm
Bruant à couronne blanche - Environnement Canada :
http://www.qc.ec.gc.ca/faune/imagier/html/bruant_a_couronne_bl
anche.html
Le Junco ardoisé - Environnement Canada : http://www.-
qc.ec.gc.ca/faune/imagier/html/junco_ardoise.html
Le Junco ardoisé - Sa distribution :
http://www.redpath-museum.mcgill.ca/-
Qbp_fr/oiseaux/specpages/juncoardoise.htm
Le Junco ardoisé - Sa morphologie :
http://iquebec.ifrance.com/colibrirubis/junco.htm

DIFFÉRENTS CHANTS D'OISEAUX :
Cris nocturnes migratoires : http://www.oldbird.org/index.htm
Patuxent-Migratory Bird Research :
http://www.mbr-pwrc.usgs.gov/id/songlist.html
Bird Song : http://www.1000plus.com/BirdSong/
Perdrix grise : http://mcssz-hungarnet.-
cserkesz.hu/~szazs/madarhang/Perdix.perdix.mp3

Hibou moyen-duc :
http://www.geocities.com/madokawando/moyduc.wav
Birdeurovision : http://www.fr.birdeurovision.org/

PHOTOS D'OISEAUX
Paul Demers :
http://pages.globetrotter.net/petitparadis/
Sylvain Mathieu et le Pic à tête rouge : http://www.-
multimania.com/nyoman/iberville/picteterouge.html
http://www.multimania.com/nyoman/iberville/picteterouge2.html
Site naturaliste de Christian Kerihuel :
http://christian.kerihuel.free.fr/
Cygne trompette : http://fog.ccsf.cc.ca.us/~jmorlan/trswimgs.htm
Greg Downing Photography :
http://www.gdphotography.com/

CHRONIQUES ET ARTICLES
Le Devoir - L'ornithologue qui étudie le chant des oiseaux :
http://www.ledevoir.com/2002/08/02/6429.html
Le moins méfiant des oiseaux - Pierre Gingras:
http://www.cyberpresse.ca/reseau/hobbies/0208/hob_102080130
552.html
Histoire de canard - Pierre Gingras : http://www.cyber-
presse.ca/reseau/hobbies/0209/hob_102090134609.html
Pygargue à tête blanche - Pierre Gingras :
http://www.cyberpresse.ca/reseau/hobbies/
0207/hob_102070122265.html
http://www.cyberpresse.ca/reseau/hobbies/
0207/hob_102070122263.html
http://www.cyberpresse.ca/reseau/hobbies/
0207/hob_102070122260.html
Une mue étrange chez le Cardinal-Pierre Gingras :
http://www.cyberpresse.-
ca/reseau/hobbies/0209/hob_102090136903.html
Mabel McIntosh et les rapaces en migration - Pierre Gingras :
http://www.cyberpresse.ca/reseau/hobbies/0209/hob_102090141
827.html
Les infidélités des Mésanges à tête noire - Paul Recer :
http://www.cyberpresse.ca/-
reseau/hobbies/0207/hob_102070117695.html

Le Chasseur de Goélands - Amélie Beaumont :
http://www.cyberpresse.ca/vde/actualites/0208/act_602080124957.html
http://www.cyberpresse.ca/vde/actualites/0208/act_602080125559.html

CNN - Il a 50 ans ce Puffin des anglais :
http://www.cnn.com/2002/WORLD/europe/04/18/britain.bird/
index.html

Le Monde-La Cigogne blanche franchit le détroit de Gibraltar :
http://www.lemonde.fr/imprimer_article_ref/0,9750,3244--
290410,00.html

Le Monde-La Chouette effraie défie l'entendement des neurobiologistes :
www.lemonde.fr/article/0,5987,3244--291346-,00.html

Le Monde-Auckland, des Pluviers guignards bloquent un bras d'autoroute : http://www.lemonde.fr/article/0,5987,3208--
286081-,00.html

Le Monde-Le garde forestier devient plus écologiste que surveillant :
www.lemonde.fr/article/0,5987,3228--288439-,00.html

Caïque de Fuertes :
http://news.bbc.co.uk/2/hi/science/nature/2205540.stm

COMMERCE CONNEXE

Pour achat de plumes : http://www.jacoberger.com/plume.htm
http://www.jacoberger.com/canard-mandarin.htm

JUMELLES ET LUNETTES D'APPROCHE
Swarovsky et Zeiss :
http://www.swarovskioptik.com/nf/us/birding/observation_ats65.htm
http://www.betterviewdesired.com/index.html
http://www.zeiss.de/C1256AF70046CD9F
http://www.birdwatching.com/optics/scopes2000.html
http://www.birdwatching.com/optics/scopes2000table.html
http://www.swarovskioptik.com/nf/us/birding/observation.htm

La Kowa TSN824M Prominar de 82mm :
http://www.kowascope.com/top.html

Leica APO-Televid de 77mm :
http://www.leica-camera.com/sportoptik/einsatzbereiche/-
vogelbeobachtung/televid/index_e.html

Pentax :
http://www.pentax.ch/deutsch/news/db100/inhalt_db100.htm
http://www.pentaxusa.com/products/cameras/

Nouveauté à venir :
http://www.dpreview.com/articles/pma2002/page6.asp
Trépied de la compagnie Manfrotto : http://www.manfrotto.-com/products/index.html?doc_from=home
Trépied de la compagnie Gitzo : http://www.gitzo.com/

POUR LA BIBLIOTHÈQUE
Bibliothèque de l'Université McGill :
http://www.library.mcgill.ca/
Bird Watching by David Bird :
http://www.vehiculepress.com/bird.html
Pour une recherche de livres : http://www.bookfinder.com/
Boutique ; Lire la nature : www.lirelanature.com
Librairie - René Thomas : www.librairie-thomas.com
Le Nid, l'œuf et l'oiseau :
http://www.biblioteca.fr/CFM/DET_Titre_J.cfm?ID=7419

LIEUX À VISITER
Ontario-Parc National de Pointe Pelée :
http://www.hbmo.org/
Ontario-Conservation Areas :
http://www.erca.org/ca/hbca/hbca.htm
Afrique-Safaris et plages proposées par terre d'Afrique :
http://www.terredafrique.com/
Costa-Rica :
http://pages.infinit.net/nadeaucl/voypuntaleona2001.htm
Sahara - Marocain : http://www.biosahara.com

OBSERVATIONS PAR CAMÉRA(WEB CAM)
Faucon pèlerin - Cleveland, Ohio : http://falconcam.apk.net/
Cigogne blanche - Allemagne :
http://www.storchennest.de/livecam.en.html

SUIVIS SATELLITAIRES
Les bernaches : http://www.wwt.org.uk/brent/
Migration de Grues blanches :
http://www.savingcranes.org/whatsnew/default.asp

Milan royal : http://www.fr.ch/mhn/milan/default.htm
http://www.fr.ch/mhn/milan/milan3sites.htm
Bondrée apivore :
http://www.roydennis.org/honeybuzzard.htm
http://news.bbc.co.uk/2/hi/uk_news/scotland/2289149.stm
Migration de colibri :
http://www.hummingbirds.net/map.html
Nexrad - Migration Canada-USA :
http://weather.noaa.gov/radar/national.html
Interprétation sur radar :
http://www.srh.noaa.gov/radar/loop/DS.p19r0/si.kbyx.shtml
Interprétation sur radar -Université Clemson :
http://virtual.clemson.edu/groups/birdrad/index.htm

POUR LE PLAISIR DES HOMMES
K@K@RIKI le site des amoureux des psittacidés :
http://kakariki.free.fr/sommaire.htm
Association des éleveurs de Montréal : http://www.aeom.ca/
Association canadienne des éleveurs :
http://www.islandnet.com/~aacc/

HUMOUR
Étourneau argenté : http://www.utahbirds.org/BirdStory.htm

LE COIN DE LA RELÈVE
Au Jardin de Colibri rubis :
http://iquebec.ifrance.com/colibrirubis/

Quelques associations

Association québécoise des groupes d'ornithologues (A.Q.G.O.)
4545, rue Pierre-de-Coubertin, C.P. 1000, succ. M
Montréal, Qc, H1V 3R2
http://www.aqgo.qc.ca/

Société québécoise de protection des oiseaux
C.P. 43, succ. B, Montréal, QC, H3B 3J5
http://www.pqspb.org/

Société du loisir ornithologique de l'Abitibi
C.P. 91, Rouyn-Noranda, QC, J9X 5C1

Société d'ornithologie du Témiscamingue
C.P. 137, Latulipe, QC, J0Z 2N0

Club des ornithologues de l'Outaouais
C.P. 419,succ. A, Hull, QC, J8Y 6P2
http://www.ncf.ca/coo/

Club ornithologique des Hautes-Laurentides
C.P. 291, Saint-Jovite, QC, J0T 2H0
http://membres.lycos.fr/lemoqueur/

Club d'ornithologie de Mirabel
9009, route Arthur-Sauvé, C.P. 3418, Mirabel, QC, J7N 2T8
http://pages.globetrotter.net/lapensee/

Société d'ornithologie de Lanaudière
C.P. 339, Joliette, J6E 3Z6
http://www.total.net/~jg/sol/

Club d'ornithologie de la Région des Moulins
2225, chemin Gascon, C.P. 82033, Lachenaie, QC, J6X 3A0
http://pages.infinit.net/cordem/

Club d'ornithologie d'Ahuntsic
C.P. 35045, 1221, rue Fleury est, Montréal, QC, H2C 3K4
http://pages.infinit.net/coa/

Société de biologie de Montréal
4777, Boul. Pierre-de-Coubertin, Montréal, QC, H1V 1B3
www.sbm.umontreal.ca

Société d'observation de la faune ailée du Sud-Ouest
C.P. 1231, Saint-Timothée, QC, J6S 6S1
http://www3.sympatico.ca/regisf/sofa/

Club des ornithologues de Châteauguay
15 boulevard Maple, Châteauguay, QC, J6J 3P7

Club d'ornithologie de Longueuil
C.P. 21099, comptoir Jacques-Cartier, Longueuil, QC, J4J 5J4
http://www.geocities.com/colongueuil/

Club d'observateurs d'oiseaux de la Haute-Yamaska
C.P. 813, Granby, QC, J2G 8W8

Club des ornithologues de Brome-Missisquoi
C.P. 256, Cowansville, QC, J2K 3S7

Société ornithologique du centre du Québec
C.P. 131, Drummonville, QC, J2B 6V6
http://www.geocities.com/socq/

Club d'ornithologie Sorel-Tracy
C.P. 1111, Sorel, J3P 7L4
http://pages.infinit.net/cost/

Société du loisir ornithologique de l'Estrie
C.P. 1263, Sherbrooke, QC, J1H 5L7
http://www.sloe.net/

Club des ornithologues des Bois-Francs
21, rue Roger, Victoriaville, QC, G6P 2A8

Club des ornitholoques de la région de l'Amiante
C.P. 533, Thetford-Mines, QC, G6G 5T6
http://www.geocities.com/coraca3000/

Groupe des ornithologues de Beauce-Etchemin :
675, 82e Rue, Saint-Georges, QC, G5Y 6L4
http://www.ville.sg-bce.qc.ca/gobe/

Les Ornithologues Sud-côtois
C.P. 994, Saint-Jean-Port-Joli, QC, G0R 3G0

Club des ornithologues de Québec
Domaine Maizerets, 2000, Montmorency, Québec, QC, G1J 5E7
- http://www.coq.QC,ca/

Club d'ornithologie de Trois-Rivières :
C.p. 953, Trois-Rivières, QC, G9A 5K2
http://membres.lycos.fr/sergecotr/frameset.html

Club des ornithologues amateurs du Saguenay-Lac-Saint-Jean :
C.P. 244, Chicoutimi, QC, G7H 5B7 http://www.coaslsj.com/

Club d'ornithologie de la Manicouagan
C.P. 2513, Baie-Comeau, QC, G5C 2T2

Club des ornithologues du Bas-Saint-Laurent
C.p. 118, Pointe-au-Père, QC, G5M 1R1

Club des ornithologues de la Gaspésie :
C.P. 334, Pabos, QC, G0C 2H0
http://www.cogaspesie.org/

Club d'ornithologie des Îles de la Madeleine
C.P. 818, Cap-aux-Meules. QC, G0B 1B0

Club ornithologique Régional de Rigaud :
496, 3° boul. Pincourt, QC, J7V 4K5
http://membres.lycos.fr/corrigaud/bienvenue.html

Club merle bleu de L'Islet-Sud
58, Rang 7, St-Adalbert, QC, G0R-2M0

Club-Ornitho-Avignon-Ouest
C.P. 53, Matapédia, QC, G01 1V0
Courriel : cricri_p@hotmail.com

Le Club aux oiseaux
612, chemin de la Vallée, Rivière Malbaie, QC, G5A 1E1

BIBLIOGRAPHIE

Artigau, Jean Pierre. (1996).
Sites ornithologiques de l'Outaouais.
Édité par le Club des ornithologues de l'Outaouais.

Bannon, Pierre. (1991). *Où et quand observer les oiseaux dans la région de Montréal.*
Société québécoise de protection des oiseaux et le Centre de conservation de la faune ailée de Montréal

Bergeron, Pierre. Dion, Jacques. Gaboury, Hercule. Jauvin, Daniel. Perreault, Desneige. Raîche, Jean-Paul. Saint-Arneault, Jean-Claude. (1988).
L'observation des oiseaux au lac Saint-Pierre.
Édité par la Société Ornithologique de Centre du Québec.

Bird, David. (2000). *The Bird Almanc.*
Édité par Key Porter Books.

Cyr, Gérard. (1992). *Guide des sites de la Côte-Nord.*
Club d'ornithologie de la Manicouagan.

David, Normand. (1990). *Les meilleurs sites d'observation des oiseaux au Québec.* Éditeur Québec Science.

Devillers, Pierre. Ouellet, Henri. Benito-Espinal, Édouard. Beudels, Roseline. Cruon, Roger. David, Normand. Érard, Christian. Gosselin, Michel et Seutin, Gilles. (1993). *Noms français des oiseaux du monde.*
Éditions MultiMondes.

Girard, Sylvie. (1988). *Itinéraire ornithologique de la Gaspésie.*
Club des ornithologues de la Gaspésie.

Harnois, Marcel. Ducharme, Claude. (1997).
À la découverte des Oiseaux de Lanaudière.
Société d'ornithologie de Lanaudière.

Huot, Guy. (1994).
L'observation des oiseaux au Québec. Éditions Broquet.

Larouche, Ursula. Drapeau, Jean-Pierre. Desautels, Louise. (1992). *Guide des milieux humides du Québec.* Éditions Franc-Vert.

Lepage, D. (1993). *L'Observation des Oiseau en Estrie.* Société de loisir ornithologique de l'Estrie inc.

Otis, Pierre. Messely, Louis. Talbot, Denis. (1993). *Guide des sites ornithologiques de la grande région de Québec.* Club des ornithologues de Québec.

Paquin, Jean. David, Normand. (1993) *Le Harfang des Neiges.* Centre de conservation de la faune ailée de Montréal

Trak Concept de cartes (2000)